Cristina Peri Rossi

Fantasías eróticas

—13—

Fantasías eróticas

Cristina Peri Rossi

EDICIONES TEMAS DE HOY

La lectura de este libro no está recomendada a menores de 16 años.

COLECCION BIBLIOTECA EROTICA.

PASEO DE LA CASTELLANA, 93.
28046 MADRID.
DISEÑO DE CUBIERTA: BRAVO LOFISH.
ILUSTRACION DE CUBIERTA: TOM WESSELMANN, *BEDROOM PAINTING,* SIDNEY JANIS GALLERY, NUEVA YORK.
PRIMERA EDICION: ABRIL, 1991.
DEPOSITO LEGAL: M. 8.688/1991
ISBN: 84-7880-084-0
COMPUESTO EN FERNANDEZ CIUDAD, S. L.
IMPRESO EN FERNANDEZ CIUDAD, S. L.
CATALINA SUAREZ, 19. 28007 MADRID.
PRINTED IN SPAIN - IMPRESO EN ESPAÑA.

Indice

Preámbulo
Nochevieja en el Daniel's

La noche de Fin de Año de 1989 (detesto llamarla Nochevieja, me pone triste), decidí pasar a tomar una copa en el Daniel's. El Daniel's es uno de los locales de «ambiente» más antiguos de Barcelona, y uno de los pocos para mujeres solas. Para mujeres que aman a mujeres. Es inútil que lo busque en los periódicos o en las guías exclusivas: Daniela, la dueña, se precia de no anunciar su club en ninguna parte. Cree que, de ese modo, selecciona mejor la concurrencia. Porque el Daniel's es un bar de exiguas dimensiones, con una pequeña pista de baile y una mesa de billar, en la segunda planta, que casi nadie usa. Quizás por eso tiene una atmósfera íntima y cálida, acogedora. La dueña conoce a la mayoría de las mujeres que van allí, solas, o con otra mujer. Es más: conoce sus historias personales, sus amores, sus duelos, sus alegrías y frustraciones, los problemas con padres, maridos o hijos. A veces aconseja a alguna que se lo pide, pero, en general, se mantiene reservada: ama la discreción más que cualquier cosa en este mundo. Parte de esa discreción es no anunciar el club en los periódicos o revistas. De este modo asegura a las clientas el anonimato, si es necesario.

El Daniel's nunca tiene la puerta abierta. Para entrar hay que llamar al timbre (al lado de una placa de metal que dice: «Se reserva el derecho de admisión») y esperar que Daniela, o alguna de las chicas, observe por la mirilla, y luego, si la clienta es aceptada, por fin se abre la puerta. Siempre hay un par de chicas que ayudan a Daniela a atender la barra, servir las copas o pinchar los discos. Son muy jóvenes y tienen ese aspecto deliberadamente ambiguo que ha marcado el estilo de una época y de una alternativa sexual. En efecto: cualquiera podría confundirlas con un adolescente del sexo masculino. Usan los cabellos muy cortos y peinados hacia atrás, a veces con un toque de gomina; son muy delgadas, no tienen pechos y nunca se maquillan. Pero algo en sus gestos suaves, en sus movimientos de gacela, revela, en definitiva, que son chicas: adolescentes rebeldes que viven solas o comparten piso, emigrantes de oscuros pueblos alejados de la gran ciudad que un día huyeron del provincianismo y la rigidez de las costumbres. Daniela vela por ellas, como un padre o una madre protector/a.

Creo que el Daniel's es el club privado de mujeres para mujeres más antiguo de Barcelona. Yo lo conocí en 1976, y desde entonces ha cambiado muy poco. Ahora tiene luces psicodélicas y billar americano, pero nada más.

He ido pocas veces al Daniel's: tres o cuatro, a lo sumo, pese a lo cual, la última noche de 1989, cuando llamé a la puerta, Daniela me reconoció y se alegró de verme. Yo fui precisamente esa noche porque pensé que sería una noche muy especial. En efecto: Daniela me dijo, no bien entré: «Quédate hasta las tres de la mañana. A esa hora, apagaremos las luces, encenderemos velas y brindaremos con cava, gentileza de la casa.»

Siento mucha simpatía por la gente que se refiere a su negocio como «la casa»: una prolongación del hogar materno, un útero protector que nos libera de la hostilidad exterior. Y me parece que Daniela es tan hogareña que el local se asemeja a una casa colectiva, para mujeres solas, sin hombres. (Daniela es rigurosa en eso: ni los *gays* son admitidos. «También son hombres —dice— y, a veces, de los peores.»)

Esa noche, el local estaba muy concurrido. Ya habíamos entrado en el nuevo año, y a medida que las mujeres conseguían desprenderse de sus compromisos afluían al Daniel's como a un territorio liberado: liberado de las formas sociales ortodoxas, de las obligaciones familiares, de los vínculos convencionales, sin fantasía ni pasión. Me pareció notar que una vez llegadas al Daniel's, esas mujeres lanzaban un «¡ah!» de alivio y de satisfacción.

Por ser una noche muy especial, el Daniel's, que normalmente cierra a las tres, iba a cerrar al alba o bien entrada la mañana.

Nunca vi tanta gente junta en un lugar tan pequeño. Las mujeres llegaban solas, en pareja o en grupo, se despojaban de sus abrigos, se saludaban (muchas parecían conocerse), empezaban a hablar o se echaban a la pista, a bailar. Yo no conocía a ninguna, y si alguna me conocía a mí (cosa muy probable) la discreción le impedía demostrármelo, con lo cual me sentía tranquila: me gusta observar sin que me observen.

En el local hacía mucho calor y el humo creaba una especie de velo evanescente, donde se diluían los rostros y las formas. Me pareció que todas aquellas mujeres estaban contentas, y eso me reconfortó, porque no soporto a la gente que se pone lúgubre con el Año Nuevo. Para observar mejor, me fui hacia un ángulo del salón, donde estaba la gente que no bailaba. Las parejas danzantes (dos rostros de mujeres, dos pares de senos, cuatro piernas bajo las curvas) se asemejaban a un tiovivo de Janos (el dios de la mitología griega provisto de dos cabezas; pero, en este caso, eran dos cabezas femeninas).

De pronto, en el local repleto de humo y de cuerpos agitados apareció una pareja extravagante. Eran el hombre y la mujer más bellos que había visto en muchos años, y su aparición inesperada elevó una serie de murmullos. Miré a Daniela y vi que los recibía con un saludo, por lo cual pensé que no se trataba de una pareja despistada, que había accedido por error al bar de ambiente. El aspecto y la vestimenta revelaban que no eran de la ciudad, ni posiblemente del Estado. Quiero decir: podían salir directamente de un fotograma de Visconti o de Bertolucci, pero jamás de una película de Buñuel o de Almodóvar. Eran italianas, seguramente, con esa belleza renacentista que sólo se da en Roma o en Milán, en Génova o en Venecia. No eran muy jóvenes: quizás rozaban los cuarenta años, la edad de esplendor de la mujer. Ella (me refiero a la que vestía como mujer) era tan hermosa como Iva Zanicchi, Mina o Monica Vitti: esa belleza sensual y apasionada que se desprende de rasgos perfectamente clásicos; una combinación que no se da en otra parte. No podía decir exactamente que fuera elegante, a pesar de la ropa sofisticada, porque las grandes bellezas italianas (como Silvana Mangano) casi siempre tienen un ligero toque de vulgaridad que las hace más terrenales, más carnales, más accesibles. Pueden estar una noche en el palco de la Scala de Milán escuchando *Un ballo in maschera* y, al otro día, discutiendo apasionadamente con la verdulera del mercado, sin olvidar los tacos.

Pensé que muchas de las jovencitas que estaban en

el Daniel's y que reaccionaban con extrañeza ante esta aparición (ellas, que explotaban con tanta convicción el modelo lesbiano de la ambigüedad, de la incertidumbre o duplicidad sexual) no tenían, quizás, los mismos puntos de referencia que yo. No debían saber quién era Iva Zanicchi, ni Mina ni Silvana Mangano. Posiblemente tampoco estaban muy seguras de la estética romántica, del juego del blanco y del negro —como George Sand—, de la palidez de los amantes de Margarita Gautier. Pero yo, sí.

Me puse a mirar fijamente a la pareja, como una espectadora entendida: esa función merecía un público adicto, de *connaisseurs,* no de principiantes. Ella iba vestida con una amplia y larga falda negra, muy abundante, una blusa de seda blanca de volantes en el pecho y botas de cuero negro, muy ajustadas.

Tenía larguísimos pendientes (negros y blancos, haciendo juego) y, en el brazo, una ancha pulsera de oro, de la cual colgaban, como lágrimas, abalorios esmeraldas. Estaba muy maquillada, pero de una manera tan particular que la pintura y la piel parecían inseparables. El cuerpo era maduro, sensual: hombros bien torneados, boca ancha, ojos negros, profundos, senos casi opulentos y un buen par de caderas.

En cuanto a su acompañante (no estaba dispuesta a desnudarla para comprobar que efectivamente tenía un par de senos diminutos y una vagina oculta entre la mata de pelos), parecía un hombre alto, apuesto, pálido, perfectamente impasible y distante, pero atento con su dama. Vestía un traje ceñido de cuero negro, con una camisa muy blanca discretamente bordada en hilo y cerrada con gemelos de oro. Era un poco más alto que ella, y su figura, admirablemente estrecha, sin curvas ni ondulaciones, había limado esas protuberancias que delatan siempre a la mujer. El cabello, abundante, estaba muy bien cortado, hacia atrás, y era oscuro, contrastando con la enorme palidez del rostro.

Evidentemente, habían trabajado mucho sus papeles, para conseguir una pareja tan contrastada, tan nítidamente perfilada, tan compensada: eran dos actores (o actrices) excelentes. Nada escapaba a su control, a la cuidadosa construcción de los personajes. El único reproche era lo excesivo: estaban algo sobreactuadas; demasiado perfectas para ser ciertas: la boca roja de ella y los pálidos labios de él, el negro del traje y de la falda, la blusa y la camisa blancas. Un contraste tan bien conjuntado que, reuniéndolas, se llegaba a la unidad perfecta. (La naturaleza es más barroca; siempre le sobra o le falta algo, como al elefante o a la jirafa.) Habían construido la pareja ideal, simuladamente heterosexual.

Pero algo, en la perfección, denunciaba el simulacro. Sin embargo, de no haber sabido que en el Daniel's no pueden entrar hombres, me lo hubiera creído. Habían llegado a la dimensión del arte, es decir, allí donde la naturaleza cede ante el artificio.

Soy escritora, amo la belleza por encima de todas las cosas y sé que casi nunca es espontánea, que hay que ganársela y merecérsela; por eso, estaba dispuesta a ser el público que esa representación necesitaba: un público amante, comprensivo, generoso. Me vuelvo completamente humilde ante la belleza: la reverencio, la aplaudo, la canto, la lleno de loas: es escasa, como los bienes mayores.

Aunque no miraban a las presentes, instaladas, quizás, en el vano de la puerta que conducía directamente al paraíso (estoy convencida de que la belleza conduce por lo menos al limbo, y todo lo demás, al infierno), no se permitían un gesto espontáneo, no estudiado, un movimiento de cejas o de manos que el guión no hubiera previsto; sé, sin embargo, que se sentían miradas (por lo menos por mí), posiblemente envidiadas, rechazadas y amadas al mismo tiempo.

No hablaron con nadie: instaladas en un ángulo de la sala (el opuesto al mío), se limitaban a posar, estáticas, inmóviles, como si ya hubieran pasado a la página del libro, a la cámara oscura, al celuloide; como dos estatuas del parque, Venus y Apolo. Posaban de una manera ostensible, como si entre la concurrencia del Daniel's hubiera un director de cine dispuesto a contratarlas, o un Rafael o un Leonardo, a inmortalizarlas.

Tampoco hablaban entre sí, aunque a veces se miraban de una manera acariciadora que me hacía delirar, por más estudiado que fuera (jamás le reprocharía la artificialidad a nadie: *arte* y *artificio* tienen la misma raíz).

Me imaginé sus noches de amor: la ficción de que en la cama había un hombre y una mujer; la *representación* de un coito primitivo, imposible, para ellas, y por tanto, imaginario. Otra vez, el triunfo de la fantasía sobre la realidad.

Sólo los tontos o los excesivamente racionales (a veces son la misma cosa) se preguntarían por qué una mujer hermosa, y en plena posesión de todos sus encantos, elige a una mujer disfrazada de hombre para hacer el amor, cuando hay tantos hombres *reales* libres por el mundo, y bien dispuestos. He ahí el verdadero motivo: ella no quiere hombres reales, sino imaginarios. Mujeres que juegan a ser hombres, porque no lo son. La realidad carece de fantasía y de misterio. A ella le gusta la representación, el simulacro, la ficción. Ama la fascinación de lo imaginario, por encima de la vulgaridad de lo real. Ese hombre falso que, a pesar de su perfecto disfraz, nunca será un *verdadero* hombre, la seduce a partir de lo imaginario: le da lo que no tiene, lo que no es. Le ofrece lo más maravilloso e íntimo que se puede ofrecer a alguien: su sueño, su no-ser, su no-tener.

Por supuesto, se podría hablar de esto como de una perversión. Pero no es decir nada: don Quijote *no era* el mediocre hidalgo Alfonso Quijote, sino quien quería ser: un caballero andante. El *ser* se revela más en lo que desea ser que en lo que es. La mujer disfrazada de hombre la noche del 31 de diciembre de 1989, no quería ser la mediocre mujer que debía ser, sino el paradigma del amante varón romántico que simulaba ser: bello, distante, seductor, enamorado absolutamente de una sola mujer.

Pude imaginarme las noches de placer perverso de esa extraña pareja con un poco de envidia: la ficción de ser *otro*, de elegir el sexo como se elige el color del vestido. El triunfo del arte sobre la naturaleza, de la imaginación sobre la realidad.

Posaron durante una hora, más o menos. Cada una cumplió a la perfección su papel, sin salirse un milímetro del guión: ni un gesto de descuido, ni una vacilación.

Debo decir que mientras permanecieron en el Daniel's, todas las mujeres que estaban allí parecían opacadas, irreales, desdibujadas: tal es la fuerza de la ficción.

Cuando abandonaron el local, me acerqué a Daniela.

—¿Son italianas? —pregunté, aunque estaba segura de la respuesta.

—Sí —respondió, con su habitual discreción.

—Parecen de película —había oído comentar, antes de que se fueran.

Las fantasías son muy delicadas: la intromisión de un elemento real en ellas las descompone, las desvirtúa, como si el frágil hechizo se deshiciera en pedazos: flores tan susceptibles que el agua del vaso las descompone.

Recuerdo a una mujer a quien le gustaba mucho hacer el amor contra la nevera. Allí ocurrían sus mejores encuentros eróticos. Tenía un amante, del cual estaba muy satisfecha. Un día, la relación se rompió. Estaban en la cocina (hacia la cual ella lo había conducido deliberadamente) y de pronto él, con una vulgaridad que ella no le conocía, le dijo:

—Oye, a ti, ¿por qué te gusta tanto hacer el amor contra la nevera? Yo lo encuentro muy incómodo.

Por supuesto: era incómodo y frío, pero para ella tenía una suerte de atracción que no es posible nombrar, ni analizar.

—Si quisiera hacerlo —le contestó, irritada—, me habría hecho un psicoanálisis.

No hicieron más el amor contra la nevera, ni contra ninguna otra cosa: la falta irreparable que él había cometido, al permitir que la realidad se entrometiera en las fantasías de su pareja, impidió cualquier nuevo encuentro.

Otra mujer me contó la siguiente anécdota: tenía un amante, muy experto, y ella se sentía enormemente complacida con él. Le gustaba mucho hacer el amor sobre la alfombra del salón y, en cierta ocasión, llevada por su arrebato, le dijo:

—Me gustaría que una vez me hicieras el amor con un antifaz negro.

El se detuvo, y preguntó, bromista:

—¿Como «El Fantasma» de los *comics*?

Seguramente le pareció una salida llena de humor, pero tuvo un efecto completamente negativo:

rompió la exaltación de la mujer, que no soportaba nada jocoso mientras hacía el amor. La pareció una asociación de ideas infantil que ponía en ridículo su ensoñación. Nunca pudo perdonárselo y, al poco tiempo, lo abandonó.

Conocí a una mujer que había sufrido una fuerte depresión, después de que su amiga la abandonara. Habían estado juntas sólo seis meses, pero decía que nunca había tenido una amante igual. Me contó que a su ex amiga le gustaba mucho hacer el amor simulando que estaban en una iglesia: colocaba jarrones llenos de azucenas en la habitación, construía un pequeño altar con una virgen, llenaba de pétalos de flores el lecho y esparcía incienso con un incensario que había sustraído de una iglesia.

—Pero a mí el incienso me hace estornudar y los pétalos de flores me dan alergia —se quejaba la mujer abandonada.

—¿No podía hacer el amor de una manera más natural? —le reprochaba.

No: justamente, se trataba de hacer el amor *como* si estuvieran en una iglesia (su ex amiga se había educado en un colegio de monjas, es de suponer).

Durante bastante tiempo, la canción *Devórame otra vez* se convirtió en un éxito internacional, y fue especialmente emblemática en los bares de *gays* y lesbianas. *Gays* y lesbianas confesaban que la letra de la canción ponía en palabras su deseo.

Bien mirada, la letra es muy simple; además del estribillo enormemente popular —*Devórame otra vez*—, dice: *En mis sueños nadie es como tú. / No he podido encontrar el ser que dibuje mi cuerpo en cada rincón sin que sobre un pedazo de piel.* Pero un análisis menos superficial pone de manifiesto muchos contenidos subyacentes. La invitación «devórame otra vez» es particularmente sugestiva. *Devorar* es un verbo muy fuerte, asociado a la pasión. Indica un impulso incontrolable, sensual y caníbal, por lo tanto, transgresor: quien reclama ser devorado invita a transgredir el tabú, la interdicción social. No es extraño, pues, que *gays* y lesbianas (transgresores a la ley heterosexual) se identifiquen con un texto de esta naturaleza. Pero, además, la letra exhorta: *otra vez*. La reincidencia en la transgresión agrega al primer pecado (cargarse la ley) la repetición. Los reincidentes son más pecadores, más transgresores que los primerizos: el texto de la canción es un llamado no sólo a transgredir una vez la ley, sino a repetirlo.

En mis sueños nadie es como tú. A veces me pregunto si cuando sufrimos una gran pasión (nos enamoramos o perdemos a un ser querido) hay algún lenguaje más apropiado que el de las canciones populares. Quizás no haya otra manera, ni más refinada, ni más elegante, ni menos vulgar para decir que tú eres la mujer de mis sueños que decir, simplemente: *En mis sueños nadie es como tú*. ¿Qué más se le puede decir al ser amado? Es el mayor de los elogios, y la confesión de adoración más plena y humilde. Pero para hacerla, en primer lugar, el hombre o la mujer tienen que reconocerse como seres soñantes, es decir, como seres deseantes. Sólo se puede desear aquello que nos hemos representado previamente a través del ensueño o del sueño. Y el ensueño y el suelo son fantasías. Por eso, no hay confesión más triste que la del que afirma: «Yo no tengo fantasías». Posiblemente, el imbécil que dice esto cree que con ello demuestra un fuerte sentido de la realidad. Porque teme que la fantasía sea una confesión de debilidad, de impotencia o de frustración. Pues se equivoca completamente. Quizá no tiene fantasía, no tiene deseo, sólo tiene genitalidad. La fantasía exacerbada no implica, necesariamente, una pérdida del sentido de la realidad. Se pueden tener ambas aptitudes muy desarrolladas: la percepción de la realidad y la construcción imaginaria. Por lo demás, los psicólogos coinciden en señalar que, sin fantasías, no hay vida erótica; sólo hay sexualidad.

Las fantasías eróticas no salen habitualmente a la luz pública, salvo cuando los escritores, los pintores o los directores de cine se animan a exhibirlas, es decir, bajo el manto protector del arte.

En las páginas que siguen hago un intento de describir y analizar las fantasías más extendidas, no sólo en la vida individual, sino en la literatura y el arte. Porque ambos, arte y vida, están íntimamente ligados. El arte suele descubrir las partes más ocultas y reprimidas de nuestra intimidad, aquellas que fueron censuradas por la conciencia. El lector podrá reconocer alguna de las suyas: no es necesario que lo confiese, ni siquiera que las convierta en realidad. Los sueños, sueños son, como dijo el poeta.

Entre la ficción y la realidad

Como una ronda infernal de escarabajos, los coches desfilan en círculos concéntricos, en la explanada desierta y oscura, detrás del estadio del Barcelona, en la Ciudad Condal. Es el área de los travestidos. Los coches descienden por varios caminos, desde la ciudad, y confluyen, con los faros encendidos, se integran en la ronda que gira como un tiovivo. Los travestidos, a pie, se aproximan a los faros, se dejan iluminar por las luces ámbares y amarillas. Tienen poco tiempo, y no pueden perder clientes. Cuando la luz los ilumina, enseñan unos anchos senos desnudos, engordados con siliconas, unos pezones enhiestos como falos, unas largas cabelleras teñidas. Visten sólo medias negras de nailon, con topos, ligueros rojos de encaje y el pubis descubierto. Algunos adornan los vellos del bajo vientre con tintes verdes, dorados o plateados, y agregan una estrella de estraza o unos grandes labios rojos al nacimiento del pubis. El pene está recogido hacia atrás, pegado con cinta adhesiva. Los faros amarillos iluminan muslos abundantes, cejas retocadas, el maquillaje excesivo de una máscara brutal y obscena.

El veloz movimiento —danza— de los coches

contrasta con el silencio de la ceremonia. Sólo los travestidos, a veces, lanzan una imprecación, un juramento o un taco, una risa loca o una invitación provocadora. Los conductores, en cambio, están a oscuras y no hablan. Cuando iluminan el cuerpo expuesto y desnudo de un travestido, éste se acerca, pactan rápidamente, y el coche sale del infernal círculo, rompe la hilera de clientes. Avanza pocos metros, hacia una oscura empalizada, donde aparca. La oscuridad absoluta protege la rápida felación, el intercambio fugaz de miembro y lengua. Después, el coche parte anónimamente, protegido por el silencio y la oscuridad. El buen padre de familia, el eficaz empresario, el discreto empleado de banca regresa a su hogar, sin huellas del negocio realizado.

Cien metros más adelante, se extiende la parte más elegante de Avenida Diagonal, con sus sólidas y sobrias mansiones, sus calles arboladas y el Palacio de Pedralbes. Cien metros hacia el otro lado, la burguesa Travesera de las Corts, amplia y bien edificada. Nadie, nunca, menciona esa enorme explanada nocturna, detrás del estadio. Simplemente, se le dice a los niños que no deben ir a ese lugar, porque es peligroso. De día, el barrio vive como de espaldas al inframundo que esconde pocos metros más allá.

S. B., pequeño empresario de Tarragona, casado y con dos hijas pequeñas, hizo un agujero en la pared de su despacho, lo cubrió con una lente de aumento y lo tapó con un cuadro. Desde ese improvisado mirador, espiaba a sus empleadas cuando iban al baño.

El espionaje duró mucho tiempo, hasta que una vez, alertada por un ruido (los sofocos de placer de

S. B., seguramente), una de las empleadas lo descubrió. Hizo la denuncia correspondiente y, durante la investigación, se comprobó que S. B., hombre bien conceptuado en la ciudad y de prestigio intachable, nunca había acosado sexualmente a sus subordinadas. No quería acostarse con ellas: su placer consistía en robarles esa mirada, en observarlas sin ser observado, en contemplar aquello que las buenas costumbres y las normas prohíben contemplar.

R. G., treinta y cinco años, soltero, de profesión albañil, era, además, un coleccionista. Coleccionaba prendas íntimas femeninas, pero no nuevas, sino usadas. Acechaba en una esquina oscura o en un portal a sus víctimas, las conminaba con un cuchillo, pero cuando las mujeres se temían lo peor —violación con asesinato—, R. G. las despojaba únicamente de sus bragas y sostenes. Luego huía, a toda carrera, llevando en los bolsillos aquellos trofeos singulares.

A fines del siglo pasado, en París, en uno de los burdeles de mayor lujo, la cortesana Violette Duclos (nombre falso, seguramente) tenía fama de seducir a los hombres de manera perversa y de desprenderse de ellos, cuando se aburría, con extraordinaria facilidad.

Se retiró a los cuarenta y ocho años, no sin antes confiarle un secreto a su sucesora: «Para retener a un hombre —le dijo— siempre hay que prohibirle algo. Un pie, un hombro, el ombligo o alguna forma de hacer el amor. De este modo, su deseo no se saciará, siempre irá en aumento. Pero cuando llegue el momento de librarse de este amante, hay que concederle el favor que nunca se le brindó. En cuanto se le haya concedido, se irá por sus propios medios.»

No muy diferente era la sabiduría de las nobles damas provenzales, que conservaban el amor de los trovadores brindándoles sus caricias, pero negándose, siempre, al coito completo.

D. F., odontólogo, guapo, soltero, suele mantener relaciones con hombres de mucha más edad que él. Interrogado sobre esta preferencia, responde: «A los dos años, al entrar intempestivamente al baño de mi casa, descubrí a mi padre desnudo. Aquel falo inmenso me deslumbró, por comparación al mío y al de mis amigos pequeños. Tuve un violento deseo de acariciarlo, de tocarlo, aunque no me animé a decirlo. Ese deseo insatisfecho es el quc pongo en juego de adulto, me imagino, con hombres mayores de edad.»

Marie-Noel, divorciada, guapa, de cuarenta años, asesora literaria de una importante editorial en París, está enamorada de Giles, fotógrafo, declaradamente homosexual. Dispuesta a seducirlo, a convertirse en la única mujer capaz de seducirlo, lo invita a cenar a su pequeño apartamento en la Rue des Vosges. Se viste con una larga túnica de hilo, comprada en Túnez, prepara un pollo con ciruelas, acompañado por un vino de excelente cosecha, y coloca en el compacto las sonatas de Mozart que Giles prefiere. La cena transcurre dulcemente, a la íntima luz de las velas, en presencia de François, el hijo de Marie-Noel, que tiene once años. Giles parece especialmente complacido: conversa más que de costumbre, se muestra gentil con ella, descorcha las botellas, cambia los platos. Hasta la invita a ir al cine al día siguiente. Marie-Noel está tan emocionada que se levanta para ir al baño y arreglar su maquillaje. Cuando regresa, encuentra a François completamente entusiasmado con Giles. Este, que apenas puede ocultar su erección, ha enseñado a su hijo un bonito juego de manos, que permite que ambos se acaricien entre bromas y risas.

En su libro de aforismos, Georg Christoph Lichtenberg recuerda que en una subasta celebrada en Brunswich, en 1785, se vendió, por mucho dinero, un sombrero confeccionado con vello púbico de una famosa cortesana.

En un mundo regido por la competencia (goles, votos, cuentas bancarias, etc.), por la *cantidad* y la *extensión* (largo, ancho, altura, etc.), tener el pene más largo o experimentar una gran cantidad de orgasmos es un signo de éxito, un valor narcisista. L. B., una lesbiana famosa por su capacidad orgásmica, solía anotar en la pared, con una barra de labios, la serie de sus éxtasis sexuales. A los veinticinco años, su mejor marca había sido diecisiete seguidos, en una sola sesión de una noche. Pero esperaba superarlo.

J. B., abogado laboralista, hombre culto y sensible, cada vez que invitaba a una mujer a pasar una noche juntos declaraba: «Soy un amante torpe. No tengo nada que demostrar en la cama, salvo mi fragilidad.» Era completamente sincero, pero las mujeres quedaban encantadas con él.

En un baile de disfraces de travestidos, en Barcelona, en 1989, un análisis estadístico de las fantasías puestas de manifiesto por los trajes y vestidos daba el siguiente resultado:

—5 de los participantes imitaban a Sara Montiel.
—4 iban de huríes.
—6 de condesas italianas del siglo XIX.
—8 con trajes de cuero, cadenas y botas negras.
—2 de oficiales de la Gestapo.
—1 de obispo.
—4 de monjas de clausura.

En cualquier caso, el disfraz tenía en cuenta la distribución en roles sádicos o masoquistas.

CAPITULO UNO

Las fantasías

Las fantasías en juego

Quien mejor ha definido qué son las fantasías y por qué razón se fantasea fue el padre del psicoanálisis, Sigmund Freud. En su ensayo «El poeta y los sueños diurnos» dice: «Puede afirmarse que el hombre feliz jamás fantasea, y sí tan sólo el insatisfecho. Los instintos insatisfechos son las fuerzas impulsoras de las fantasías, y cada fantasía es una satisfacción de deseos, una rectificación de la realidad insatisfactoria. Los deseos impulsores son distintos, según el sexo, el carácter y las circunstancias de la personalidad que fantasea; pero no es difícil agruparlas en dos direcciones principales. Son deseos ambiciosos, tendentes a la elevación de la personalidad, o bien deseos eróticos.»

Podríamos preguntarnos por qué los seres humanos ocultan tan sigilosamente sus fantasías, al punto de que sólo los artistas, los poetas, los novelistas, los pintores y los directores de cine son capaces de revelar algunas de ellas, y siempre bajo la cobertura de la obra de arte. (Por eso el arte es necesario, y todas las culturas lo practican: son los artistas quienes representan, escenifican las fantasías que los seres comunes esconden y reprimen.) La razón es muy sencilla: nuestras fantasías —de poder, de dominio, de deseo, de violación, de humillación, de tortura— resultan inconfesables, casi siempre, porque nuestra conciencia y el yo social que hemos construido difícilmente desde la niñez nos avergüenzan de ellas. La cultura, la decencia y el acuerdo social —todos tenemos los mismos derechos y obligaciones— nos impiden confesar nuestras fantasías, en el bien entendido de que ellas revelan una parte de nuestra personalidad que hemos de ocultar, especialmente porque también los otros la tienen. Si yo confieso que me gustaría devorar el hígado de mis enemigos, me expongo a que ocurra lo mismo con mi hígado; si manifiesto mi deseo de colgar de la pared a la persona que amo, debo aceptar que ella haga lo mismo conmigo.

C. J. Jung, discípulo de Freud al principio, y luego reformador de la teoría psicoanalítica, agregó algo muy importante a la descripción de Freud de las fantasías: dijo que no son sólo deseos ocultos, sino temores. Este aporte de Jung tiene una gran importancia en el estudio y análisis de las fantasías individuales y colectivas. La mujer que cuando oye un ruido en su apartamento tiene la fantasía de que puede tratarse de un violador que la amenazará y someterá a terribles vejaciones, no está expresando un deseo reprimido, ni mucho menos: se trata de un temor profundo que el ruido no identificado en un principio le ha traído a la conciencia.

Los niños fantasean mucho durante sus juegos, y podríamos decir —con Freud— que el juego es la actividad fantaseadora del niño; pero como se trata de fantasías «permitidas» (juega a ser médico, a matar indios o marcianos, a criar a los bebés, a hacer la comida o a pilotar una nave espacial), no sufren ninguna clase de ocultación o rechazo.

Sólo los psicóticos (o sea, los locos) confunden las fantasías con la realidad. Es decir: sólo los locos actúan de acuerdo con sus fantasías. La realidad siempre impone a los seres humanos una corrección importantísima sobre sus fantasías. El político que tiene la profunda fantasía de dominar a todo el mundo se somete a la ley y al control de poderes, modera su ambición y se conforma con la cuota que la sociedad le permite; el macho prepotente que está dispuesto a fornicar con todas las mujeres, acepta que además de conquistar mujeres tiene que trabajar, respetar a las mujeres que le dicen que no y, si le sobra energía sexual, masturbarse.

La distinción entre fantasías y realidad es un principio de salud mental y de acuerdo social que tienen, espontáneamente, hasta los niños muy pequeños. Jean Piaget, que ha dedicado casi toda su obra al análisis de los mecanismos de aprendizaje infantil, señala, con gran claridad, que el niño pequeño que juega con un palo de escoba como si éste fuera un caballo, lo bautiza y le habla, se llevaría una enorme sorpresa si de pronto el palo de escoba rebuznara.

¿El destino de las fantasías, pues, es permanecer en la oscuridad, en la soledad profunda de nuestro yo más íntimo, creando gran frustración, o existe alguna posibilidad de transformarlas y vivirlas de una forma u otra? Las respuestas son precisas: afloran en los sueños y se transforman en obras de arte o en *juegos*.

Aparentemente, la actividad de jugar cesa con la edad adulta. Los juegos de los adultos están completamente socializados y tienen reglas tan severas que no dejan espacio a la expresión transformada de esas fantasías profundas e individuales. El ajedrez, los juegos de cartas, el fútbol, el baloncesto y los juegos electrónicos no admiten mucha expansión a las fantasías más íntimas. Sin duda, meter un gol en un partido importante puede producir un placer similar al orgasmo (y muchos jugadores de fútbol lo experimentan), del mismo modo que hay cantantes de rock cuyo frenesí en el escenario es una expansión libidinal igual o muy parecida a la de un coito. Pero la mayoría de los seres humanos no juegan al fútbol ni cantan sobre un escenario; son espectadores bastante pasivos de esos privilegiados que además de su vida amorosa tienen la posibilidad de transformar su libido en un gol en una canción rockera. Los adultos, pues, no juegan más que esporádicamente, y cuando lo hacen son juegos llenos de reglas, de figuras estereotipadas que hay que respetar.

La vida erótica rica y plena es la única instancia lúdica capaz de reemplazar al juego infantil y al arte, territorio al que la mayoría de las personas sólo acceden como espectadores pasivos. El juego es el ámbito del «como si». Dado que es una «representación», permite dar salida a las fantasías ocultas sin transgredir las leyes.

El «como si» puede encauzar los instintos violadores del macho, por ejemplo, o el deseo de hacer daño, a través de juegos simuladores que sustituyen a la realidad. Ahora bien, en ningún caso estos juegos del «como si» se deben imponer, porque, justamente, aquello que permite la instancia del juego es el deseo de los participantes, su libertad de jugar o no. El ejemplo más claro de esta libertad del «como si» son las relaciones que ponen en juego las fantasías de dominador-dominado, o como se las conoce más comúnmente, de amo-esclavo. Es cierto que es un juego que puede resultar muy placentero para ambas partes, siempre y cuando ambos papeles sean elegidos libremente y no exista coerción alguna. De lo contrario, constituyen una violación, el más repugnante de los delitos.

Mientras hay deseo...

El novelista inglés E. M. Forster confesaba que, cuando era niño, estaba lleno de fantasías sexuales y creía que, al llegar a la juventud, al iniciar su vida erótica, desaparecerían. Luego, durante la juventud, estaba lleno de fantasías eróticas y esperaba que, al llegar la madurez, aquéllas lo abandonarían. «Soy ya un viejo —reconoció— y debo decir que continúo teniendo fantasías eróticas.» Lo que equivale a decir que siempre tuvo deseos. Porque si bien la definición de Freud es muy clara, lo difícil es alcanzar la satisfacción. En este sentido, tanto la filosofía oriental como la occidental coinciden: la felicidad (el nirvana hindú o la paz de espíritu cristiana) consiste en la ausencia de deseos. Porque mientras hay deseo, hay insatisfacción. Pero a esa ausencia de deseo sólo se puede llegar a través de una accesis casi imposible de practicar para el hombre y la mujer de nuestros atribulados días.

CAPITULO DOS

Erotismo y sexualidad

Imaginación frente a instinto

El erotismo es a la sexualidad lo que la gastronomía al hambre: el triunfo de la cultua sobre el instinto, entendiendo por cultura el largo, diverso y complejo proceso que ha elaborado la criatura humana, desde sus comienzos, para dominar, transformar y guiar el instinto primitivo. («¿Qué es la cultura?» fue un interrogante difícil de responder durante mucho tiempo. En nuestro siglo, el poeta y ensayista Octavio Paz dio una definición muy amplia y acabada, al decir que la cultura es toda actividad humana de transformación de la materia, más las creaciones del espíritu; de este modo, la cultura abarca tanto las ceremonias para enterrar a los muertos, propias de cada civilización, como la manera de asar la carne; la moda, la escritura, los rituales religiosos, la forma de cultivar la tierra y de hacer las vasijas; las fiestas de la recolección de la vid y los adornos florales; las Olimpíadas y la concesión de los premios Nobel.) El hombre que come los alimentos con las manos, sin lavarlos, sin conocerlos, sin pelarlos, sacia, sin duda, el instinto de hambre, y obtiene, con ello, una satisfacción urgente y elemental: da lo mismo que se trate de un trozo de jabalí cazado en el bosque, la raíz comestible de una planta, una seta o el fruto maduro de un árbol. Saciar el hambre, de cualquiera de estos modos, es actuar según el instinto, según la pulsión de supervivencia, irreflexiva e inconsciente. Pero el hombre que cuando siente deseos de comer elige cuidadosamente los productos, los lava, los cuece según recetas también cuidadosamente probadas, los dispone en una bella fuente y se sirve de ellos con platos, cubiertos y flores en la mesa, acompañado por una música agradable, no sólo está satisfaciendo la necesidad elemental de comer, sino realizando una serie de operaciones de elaboración y transformación de los materiales que pertenecen a una cultura formada a través de las generaciones, gracias a la imaginación, la experiencia y la trasmutación. El impulso o la necesidad iniciales —el hambre, la necesidad de comer— han dado lugar a ciertas actividades no ligadas originalmente al requerimiento elemental o instintivo. En efecto: al hambre poco le hace que el mantel sea de hilo o de hule, que suene una sonata de Brahms o el vuelo de una mosca. Pero la civilización consiste, precisamente, en respuestas cada vez más elaboradas, más sofisticadas y menos primarias a las necesidades del instinto. (El extraordinario desarrollo de la industria y del consumo, en nuestros días, induce a pensar que es el producto el que crea la necesidad, y no el instinto, en una extraordinaria inversión de la conducta.)

De ahí que el erotismo sea una creación de la imaginación y del espíritu sobre el puro instinto, brutal, indeterminado y generalmente torpe.

Es una transformación equivalente a otras grandes creaciones humanas: por ejemplo, el proceso que va del grito de terror al *Lamento de amor,* de *Tristán e*

Isolda, de Wagner, o de la sonrisa espontánea al *Himno a la alegría* de la Novena Sinfonía de Beethoven. El erotismo es a la sexualidad lo que la frase al grito, el teatro al gesto y la moda al taparrabos: una actividad cultural, la satisfacción elaborada de una necesidad instintiva.

Como toda actividad civilizada, el erotismo puede aprenderse, ejercitarse y cultivarse, aunque no haya universidades ni academias para ello, y los títulos y diplomas sólo puedan ser adjudicados por un amante o una amante al oído. (Desde antiguo se atribuye a los artistas una vida erótica más plena y rica, por su juego habitual con la fantasía, su actitud rebelde frente a las normas sociales y un yo menos rígido.) En el mundo clásico, enseñar a amar era una actividad noble que hombres y mujeres de mayor edad desempeñaban con los jóvenes de ambos sexos, antes de que éstos se casaran; la leyenda —difícil de separar en este caso de la Historia— dice que Safo, una de las primeras poetisas eróticas, enseñaba al arte del amor a jóvenes y bellas discípulas, destinadas a los hombres, pero que se enamoraban entre sí. Es a ella, en el siglo IV a.C., a quien se debe una de las primeras descripciones físicas del orgasmo, en un poema dedicado a Gongyla, su amiga:

de pronto se me espesa la lengua,
un sutil fuego me recorre la piel,
mis ojos se nublan,
los oídos me zumban,
me invade un frío sudor, toda entera
me estremezco, palidezco más que la hierba,
creo estar a punto de morir.

(Fueron los poetas los primeros en llamar al

orgasmo «pequeña muerte», expresión que luego acogería con beneplácito la psicología y la biología.)

Los artistas, antes que los filósofos, establecieron de manera sutil el origen común del amor y del arte: la sublimación del instinto. A Safo se debe, también, una de las metáforas más bellas sobre el impulso amoroso:

Amor ha sacudido mis sentidos
como el viento que empuja las encinas en el monte.

Sólo mucho después Platón, en el diálogo *El banquete o Del amor,* interrogó a los filósofos. Sócrates, su maestro, que es el último en hablar, se remite a las enseñanzas de una mujer, Diotime de Mantinea, quien habría dicho: «El amor es lo que ama, y no lo amado.»

En el mundo clásico, pues, el erotismo (el arte de hacer el amor) tiene una dimensión cultural, ya que es un aprendizaje, como la danza, la poesía, el hilado o la escultura, dimensión que el poeta Ovidio eleva a una categoría más alta: *El arte de amar.* Las técnicas pueden aprenderse, como se aprende la gimnasia o el solfeo, pero sólo serán eso: técnicas impersonales, académicas; cuando el deseo se encarna en un objeto y entra en relación apasionada con él, el erotismo deja de ser una técnica para convertirse en arte, o sea, en una creación personal, subjetiva, simbólica. En nuestros días, con el desarrollo casi casi ilimitado de la información y de los medios de comunicación, el dilema de si el erotismo es una técnica o un arte parece volver a plantearse.

En efecto: el mercado está lleno de libros acerca de técnicas para alcanzar el orgasmo, el placer, para obtener mayor goce o satisfacción. Basta con entrar en una tienda o un supermercado y se despliega una amplia oferta sobre posiciones, orgasmos múltiples, encuestas, estadísticas y técnicas orientales, filipinas o jamaicanas. Estos manuales pretenden enseñar las técnicas del amor, pero casi todos adolecen de un defecto: olvidan el aspecto emocional, subjetivo del deseo, esa cifra misteriosa e irreductible por la cual una intensa mirada de los amantes los conmueve, los excita y arrebata, a veces con mayor intensidad que la caricia profesional de una experta o de un experto. El erotismo no es sólo una técnica, como el yoga o la gimnasia sueca, del mismo modo que un ordenador de la última generación sigue siendo incapaz de escribir un poema. Puede ordenar palabras en una página, pero estará siempre a una infinita distancia de estos versos de Pablo Neruda:

Me gustas cuando callas porque estás como ausente
y me oyes desde lejos, y mi voz no te toca.

Dicho de otro modo: la ignorancia o la torpeza erótica pueden hacer fracasar una relación, tanto como la pueden hacer fracasar, en cierto sentido, una exquisita técnica practicada con habilidad e indiferencia. En el primero de los casos, la emoción sucumbirá ante la impericia; en el segundo, la ausencia de emoción provocará un vacío o un hastío que hará de la técnica un mero automatismo. ¿Es posible enseñar a amar? ¿Es posible enseñar a imaginar? Posiblemente hay un adiestramiento, tanto como un don innato; ambos son necesarios. La ausencia de emoción puede provocar reacciones como la que confesó Coco Chanel en sus memorias: mientras hacía el amor con su amante, descubrió, sin querer, ambos cuerpos retorcidos en el espejo. El espectáculo le resultó —según sus propias palabras— «francamente ridículo». (¡Y todos los manuales aconsejan los espejos como estímulo para la excitación de los amantes!) La ausencia de sentimiento, de pasión, de emoción, puede convertir en ridícula prácticamente cualquier actividad humana: el fútbol (afanoso trajín de veintidós hombres empeñados no se sabe por qué en meter una pelota con el pie dentro de una red), la arqueología (laboriosa búsqueda de vasijas rotas cuando se compran enteras en el mercado) o un solo de trompeta (soplar aire por un tubo). Del acto de hacer el amor se puede decir, como el inglés del chiste: *The sensation is good, but the position is ridicle;* o esta exhortación apasionada del poeta latino Catulo:

> «Vivamos, Lesbia mía, y amémonos, y no nos importen nada las murmuraciones de los ancianos ceñudos. Los soles pueden ponerse y volver a salir; pero nosotros, una vez se apague nuestro breve día, tendremos que dormir una noche eterna. Dame mil besos, luego cien, luego otros mil, luego cien más, luego todavía otros mil, luego cien, y finalmente, cuando lleguemos a muchos miles, perderemos la cuenta para no saberla y para que ningún malvado pueda envidiarnos al saber cuántos han sido los besos.»

En la mirada surgen los símbolos

Es justamente en el arte donde hay que buscar el erotismo, porque él se ocupa de las fantasías, de los deseos, de lo innombrable, porque el arte no imita a la realidad, sino que la transmuta, la transforma, la hace desagradable o apetecible, la cubre de emociones. En el arte la realidad adquiere su más preciosa condición: la ambigüedad, la pluralidad. Así, del pene, el *Diccionario* de la Real Academia dice: «Miembro viril. Organo de la generación.» La fría y circunspecta definición se atiene a la realidad; ¿dónde encontrar las emociones encontradas que despierta, es decir, sus posibilidades eróticas? Por ejemplo, en un fragmento de la novela *El nido de la oropéndola*, de Ariel Volke*, su verdadero compendio de fantasías sadomasoquistas. En ella se dice, acerca del pene del protagonista, Clay:

Lo bastante pequeño para ser estrechado tiernamente.
Lo bastante dócil para ser acariciado.
Lo bastante liso para ser lamido.
Lo bastante suave para ser besado.
Lo bastante rosado para ser saboreado.
Lo bastante salpimentado para ser comido.
Lo bastante vivaz para ser zarandeado.
Lo bastante ávido para ser mortificado.
Lo bastante ardiente para resistírsele.
Lo bastante escurridizo para escapársele.
Lo bastante caliente para acurrucarse mullidamente a su [lado.
Lo bastante grueso para estrecharlo, en señal de bienvenida.
Lo bastante grande para buscar su protección.
Lo bastante mágico para sentirse hechizado y amarlo [locamente.

Es en la mirada, en la emoción y en el sentimiento de quien ama donde surgen los símbolos, las imágenes que envuelven al objeto con un ropaje de atracción y de repulsión que constituye la riqueza y la ambigüedad de la vida erótica. (*Odio y amo. Tal vez preguntes por qué lo hago. No lo sé, pero siento que es así y sufro*, dice

* Editado en castellano por Martínez Roca, Barcelona, 1989, en la colección erótica La Fuente de Jade. Ariel Volke es el seudónimo de una pareja, Shelley y Volf Roitman. Escribieron la novela a dúo; alcanzó mucho éxito y fue traducida a varias lenguas.

Catulo en otro poema.) Por eso, *el amor es lo que ama y no lo amado.*

En la imaginación (que inventa relaciones, símbolos, analogías, que exalta o que denigra), un *cuerpo* se transforma en objeto de deseo, destacándose, sobresaliendo entre los demás, como imantado, como iluminado por las luces y las sombras de la pasión (manía). Lo imaginario, que se constituye como fabulación y representación, es decir, como símbolo y metáfora, intenta nombrar lo innombrable (el cuerpo del deseo) y transferir sus emociones al lenguaje, al poema, al cuadro, al cine. Algunas de estas creaciones, las más gruesas, las más simples y elementales, pasan al lenguaje popular; otras, las más complejas, delicadas y sutiles, permanecen en la página o en la galería de arte (a veces, en el sillón del psicoanalista). A modo de ejemplo, y sin ánimo enumerativo, limitándonos al primero de los casos, al del lenguaje coloquial, veamos la suerte de denominaciones que recibe el miembro viril: *pito, polla, palo, pistola, porra, capullo, pija, pico, pincho,* etc. En cuanto al sexo femenino: *coño, concha, mejillón, conejo, almeja, cotorra,* etc.

La traslación, que es el mecanismo característico de lo simbólico, es decir, de la fantasía y del arte, ha dibujado un escenario vastísimo de objetos circundantes que el deseo y la emoción transfiguran en *fálicos:* la corbata (que pende emblemáticamente y se exhibe, es y no es el sexo), el sombrero (se *cepilla,* expresión vulgar que vale para acostarse con una mujer), la estilográfica (fina y larga, gruesa o corta, brillante u opaca, a la cual, a veces, en un exceso narcisístico, se le agregan las iniciales particulares), la motocicleta (potente, ornamentada), el lápiz, la serpiente (animal fóbico para muchas mujeres), el obelisco (no hay ciudad que se precie que no lo erija), el misil (todo dictador quiere tener uno por lo menos), el cigarrillo (ante la mirada conspicua de sus discípulos, mientras encendía uno, Freud se vio obligado a decir: «A veces, encender un cigarrillo es sólo encender un cigarrillo.»)

Casi todos estos símbolos coinciden en su carácter externo, llamativo y prepotente, cualidades atribuidas al miembro viril (nadie discute en la actualidad que el pene es el órgano narcisístico masculino). El repertorio de objetos de traslación sexual femenino es menor, posiblemente porque el sexo de la mujer, mucho menos visible que el del hombre, no se presta tan fácilmente a analogías sencillas (a este carácter oculto del sexo femenino Freud atribuye la fantasía infantil de que la mujer está castrada, no tiene sexo. Posiblemente, también esta equivocada percepción infantil se prolonga en la vida adulta de muchos hombres en la forma de compulsión *a ver* el cuerpo desnudo de la mujer, como si siempre estuviera en discusión el lugar de su sexo, si lo tiene o no). Aun así, el sexo femenino ha sido simbolizado como la rosa de innumerables pétalos, la araña que oculta su vientre bajo una cubierta de pelos, el melocotón de dos mitades simétricas unidas por un centro, el higo meloso, el mar (por su olor y sabor).

En cuanto al erotismo (la vertiente física del amor), los poetas y los artistas lo han dicho todo: veneno letal, fuego inextinguible, lava que corroe, llama incandescente, ardor que quema, poso insondable, abismo, delirio, infierno, paraíso, purgatorio, cima, éxtasis y hastío.

Lo cierto es que mientras el deseo no se fija en un objeto, no se distingue de otro apetito corporal. Justamente, cuando reviste y se encarna en un objeto (momento en que se transforma en una manía), se convierte en fantasmagoría, o sea, en erotismo, en arte.

Como los fantasmas están adentro, aunque uno crea que están afuera, en el momento de transfigurarse el deseo se estrella con su límite: si lo hemos objetivado (es decir, hemos colocado la libido en un objeto, separándola de nosotros mismos) queremos poseerlo, y se vuelve imposeíble justamente porque está afuera. Este drama del quiero y no puedo es el responsable de buena parte del arte de todos los tiempos; también, de la neurosis.

Y el sexo se transformó en cultura

La palabra «erotismo» viene del griego: Eros era el dios del amor. El historiador Heródoto es uno de los primeros en citarlo: «El más bello de los dioses se burla del buen sentido y de las resoluciones sagaces.» Los poetas eróticos griegos solían representarlo como un efebo de maravillosa belleza y le atribuían mil estratagemas y sutiles recursos para vencer no sólo a los hombres, sino a los dioses y hasta a su propia madre, Venus. (Al tema de las tortuosas relaciones entre ambos, el escritor latino Apuleyo dedicó varios capítulos de su novela *El asno de oro,* considerada por la crítica como uno de los primeros monumentos literarios de carácter erótico.)

Sófocles, uno de los mayores poetas trágicos de la Antigüedad, dice, a propósito del amor (Eros):

> «¡Amor! ¡Invencible Amor! ¡Tú subyugas los pensamientos y lates en las sensaciones delicadas de la muchachita; tú reinas sobre los mares y en la cabaña del pastor! Nadie, ni los dioses inmortales, ni los efímeros hombres, escapan a tu dominio.»

En algunos dibujos y esculturas de la época clásica, Eros aparece con un carcaj lleno de flechas, origen de la expresión «flechazo».

Aunque es imposible definir qué es el amor, quien ha estudiado más a fondo los procesos psíquicos, Sigmund Freud, aporta una aproximación: «Amor es la sobreestimación del objeto en el que se ha fijado la libido.»

En cuanto a la palabra «libido», procede del latín y significa deseo, apetito desordenado, sensualidad. El poeta cortesano Juan de Mena la empleó por primera vez en castellano en el siglo XV, aunque sin éxito. En cambio, uno de sus derivados, «libidinoso», se usa muy a menudo con sentido peyorativo: significaba vicio, lascivia. La palabra fue posteriormente rescatada por el pensamiento psicoanalítico para nombrar la energía sexual, una energía pulsional no cuantificable, pero muy poderosa, según Freud y sus discípulos.

Sin embargo, cuando los alumnos del profesor vienés le pidieron que explicara mejor qué era el amor, Freud les respondió: «Preguntadle a los poetas.»

Efectivamente, es en el terreno de la literatura y el arte (es decir, en el ámbito de lo individual y de lo particular) donde podemos ver aparecer los millones de fantasmas del deseo, los rostros innumerables del amor, el despliegue de fantasías y de imaginación que lo acompañan.

Uno de los grandes pensadores de nuestro siglo, Georges Bataille, dedicó numerosos ensayos al erotismo; en su obra más importante, *El erotismo* *, afirma: «La actividad sexual es común a los hombres y a los animales, pero sólo aquéllos hicieron de la sexualidad

* Publicada originalmente en Francia en 1957, y traducida al castellano en 1979 por Tusquets Editores, Barcelona.

una actividad erótica, es decir, una investigación o búsqueda psicológica independiente del fin natural de la reproducción.»

Dicho de otro modo: sólo en el género humano el sexo se transformó en cultura, porque lo que caracteriza el erotismo es la búsqueda y elección de un objeto de deseo particular, que nos expresará a nosotros mismos, más aún que al objeto en sí *(el amor es lo que ama y no lo amado)*. Esta es la diferencia principal con la sexualidad animal, indiscriminada, puramente instintiva. Para decirlo en términos psicoanalíticos, el erotismo es una libido encarnada en un objeto. Cuando la libido aún no ha encontrado su objeto (o lo ha perdido), produce angustia. Es el estado de ansiedad adolescente, cuando el instinto, plenamente potente y apto, todavía no ha encontrado el objeto donde fijarse.

Georges Bataille afirma: «El erotismo es uno de los aspectos de la vida interior del ser humano. Busca sin cesar *afuera* un objeto de deseo. Pero ese objeto responde a la *interioridad* del deseo. La elección de un objeto depende siempre de los gustos personales...»

Quizás la palabra «gustos» sea demasiado ingenua e inocente para una operación tan profunda y compleja. El psicoanálisis ha demostrado de manera convincente hasta qué punto el inconsciente desempeña un papel decisivo en la encarnación objetual del deseo. Pero la subjetividad intrínseca de la atracción erótica ha sido bien observada por el saber popular: «Sobre gustos no hay nada escrito.» Bataille lo explica así: «Incluso si el deseo se dirige a la mujer (o al hombre) que la mayoría hubiese elegido, lo que está en juego es, a menudo, un aspecto imperceptible, no una cualidad objetiva.»

No es raro que la atracción recaiga no sobre una cualidad, sino sobre un defecto o tara. Por eso, la frecuente pregunta del enamorado o de la enamorada: «¿Por qué me quieres?», casi nunca tiene una respuesta adecuada, y suele inquietar, más que satisfacer. El amado no puede explicar su atracción por el objeto amado más que de una manera vaga y confusa, o con una serie de banalidades aplicables a cualquier otra persona. Deberá escarbar, ahondar en su inconsciente, en su más profunda subjetividad para acercarse a esa respuesta, y si la encuentra, no dará satisfacción con ella a la demanda del ser querido. Poca gente aceptaría, por respuesta: «Te amo porque el brillo de tus ojos me recuerda oscuramente a los ocelotes en celo.» O: «Te amo porque el imperceptible movimiento de tu labio superior era la señal de leve descontento de mi madre.»

Estos rasgos, aparentemente superficiales, tienen una profunda raíz psicológica que los hace mucho más fuertes, todavía, que cualquier valor objetivo del ser amado. Porque justamente en el deseo hay que nadie entiende racionalmente, ni siquiera quienes lo experimentan. Estamos adheridos emocionalmente de una forma mucho más profunda a las cosas que no han llegado a nuestra conciencia que a las que podemos explicar lógicamente. Por eso el amor es inquietante, angustioso, lleno de misterios y de secretos. Amar a alguien es encontrarnos, en primer lugar, con nuestras zonas más profundas, no con las del ser amado. A veces oímos decir: «¿Pero qué le ha visto Juan para enamorarse de María?» Esta interrogante revela la inquietud que produce el erotismo, la elección subjetiva del objeto de deseo, que no tiene que ver necesariamente con los valores objetivos, ni con los individuales ni con los sociales. La única respuesta posible a esa pregunta es: «Juan ve en María algo que sólo él puede ver.» Esto no tiene relación con el dicho popular de que el amor es ciego. Todo lo contrario: ve algo que no es manifiesto para los demás, algo que responde a los fantasmas de quien ama y que puede estar completamente oculto para los otros. (Cierto amigo mío, apasionado por el cine, un día me comunicó que había encontrado el amor de su vida: una mujer muy parecida a Rita Hayworth, que era su ideal de belleza femenina. Cuando la conocí, no le encontré, por supuesto, ningún parecido con la famosa actriz, pero esto no me extrañó: yo jamás había estado enamorada de Rita Hayworth. Quince años después, continúan casados, y él sigue pensando que su esposa es la réplica de la actriz que admiraba.)

En la actividad sexual de los animales no se puede encontrar, casi nunca, el equivalente a la elección de objeto erótico. Y, las pocas veces que ocurre algo parecido, es una actividad también instintiva. El toro que insemina a diez mil vacas cumple una función con la misma sumisión a su instinto con la que come o bebe; si el miembro del toro es dirigido a un recipiente de metal, en lugar de a una vaca, da lo mismo. De ahí, también, algo que se ha observado con frecuencia: a veces, el macho de muchas especies animales copula con individuos de ambos sexos, de manera indiscriminada. No creo que se pueda hablar —como han hecho algunos— de homosexualidad animal, sino de un instinto que no selecciona. Lo que caracteriza a la homosexualidad humana, en cambio, es justamente una búsqueda y hallazgo de objeto erótico singular, tan singular y especial que estadísticamente es un comportamiento minoritario. Dicho de otro modo, el objeto de deseo homosexual es tan subjetivo, tan erótico, que transgrede la norma.

Por eso, porque el erotismo es intensamente subjetivo, tiene un lugar preferente en el arte y en la literatura, que son los espacios de configuración de los sueños, de los deseos reprimidos, de las fantasías irracionales. Y no me refiero sólo a los textos o a las obras plásticas que constituyen un género particular (la novela o la pintura erótica), sino a la historia del arte y de la literatura en general. Difícilmente puede haber arte sin una manifestación particular de erotismo. Una de las pintoras más famosas de nuestro siglo, Leonor Fini, dijo: «Toda pintura es erótica. El erotismo no tiene necesariamente que estar en el tema. Puede estar en la forma con que se pinta un ropaje, en el diseño de una mano, en un pliegue.» El poeta Octavio Paz ha declarado: «Toda poesía es erótica», y no se refería tan sólo a los versos de los místicos, cuyos éxtasis religiosos eran tan semejantes a los éxtasis del orgasmo.

El erotismo está presente en las obras escritas y gráficas de las más antiguas y diversas culturas. Sólo durante la Edad Media, en virtud del carácter represivo de la Iglesia, que monopolizaba la educación, el pensamiento y las artes, el erotismo se eclipsó parcialmente de las expresiones artísticas, aunque no por completo: las vidas de los santos y sus alegorías son una fuente de fantasías sadomasoquistas que se incorporaron de manera sublimada a la educación religiosa.

En todas las tradiciones, tanto orientales como occidentales, hay espacios dedicados a la imaginación erótica, y suelen ser extremadamente libres en cuanto al ejercicio de la sexualidad: incestos, adulterios, homosexualidad, prostitución, etc.

Uno de los textos más bellos de la literatura erótica es *El Cantar de los Cantares* *, de la Biblia, atribuido a Salomón:

* Traducción de Nácar y Colunga.

Bésame con besos de tu boca. Son tus amores
más deliciosos que el vino,
son tus ungüentos agradables al olfato.
Es tu nombre un perfume que se difunde
por eso te aman las doncellas.
Arrástranos tras de ti, corramos. Introdúcenos, rey,
en tus aposentos
y gozaremos y nos regocijaremos contigo
y celebraremos tus amores más que el vino.

Freud considera que el arte es una necesidad del hombre de todos los tiempos, precisamente porque revela todo el material psicológico reprimido por el acuerdo social, todo aquello a lo que hemos renunciado de nuestros deseos más profundos, para hacer posible la convivencia. Por eso distingue un «contenido manifiesto» en las artes y un «contenido latente». Este sería el más importante: las huellas oníricas, las fantasías imposibles de realizar, los ramalazos de sueños y de pesadillas que se inscriben en el texto literario o plástico y establecen una relación inconsciente con el receptor.

CÁPITULO TRES

Una inmersión en las fantasías marinas

El agua: principio de la vida

Para nuestros antepasados más remotos, el hombre y la mujer de Neanderthal, esta diferencia entre sexualidad y erotismo no existía. El instinto se satisfacía de manera espontánea, como el hambre, o como la necesidad de cobijo. El erotismo es una elaboración cultural muy posterior al descubrimiento del sílex, del fuego, y posiblemente sus orígenes deben remontarse a las primeras religiones constituidas, ya que éstas, en términos antropológicos, son también los primeros sistemas de fantasías organizadas. Esos antepasados remotos jugaban con sus genitales, se masturbaban o se acoplaban guiados por el instinto sexual, cuya relación con la procreación, por lo demás, debió surgir posteriormente, fruto de la observación y de la deducción. En efecto: los antropólogos coinciden en que la asociación del coito con la reproducción es un *saber* avanzado que corresponde a etapas evolucionadas de civilización. (Ocurre lo mismo con los niños. Si bien a partir de los primeros meses de edad los bebés son capaces de experimentar sensaciones agradables de carácter erótico con caricias, juegos y otros estímulos, y a partir de los seis meses pueden masturbarse, ignoran por completo el origen sexual de la vida humana. Es un saber que deben aprender, como a sumar o a restar.)

En el hombre primitivo, esta ignorancia acerca de la reproducción dio lugar a todo tipo de fantasías. Algunas de ellas se conservan hasta hoy. En efecto: en ciertas tribus de Polinesia, donde no se ha establecido esta relación entre el coito y la reproducción, las mujeres creen que quedan embarazadas a través de sus frecuentes inmersiones en el mar. Esta fantasía que no tiene, claro está, ningún valor científico, es muy rica, en cambio, en contenidos simbólicos.

El agua fue considerada desde antiguo como uno de los principios de la vida. Las mujeres de las tribus polinesias, que creen que las olas las fecundan, no saben que Tales de Mileto, matemático, astrónomo griego y fundador de la filosofía occidental, consideraba que el principio fundamental de la Naturaleza es el agua y que todo procede de ella por su gran capacidad generatriz. He ahí un ejemplo de cómo una fantasía tribal, lúdica y poética, aparentemente sin ningún rigor, puede ser la expresión ingenua o la intuición de una verdad mucho más profunda que la ciencia debe investigar y probar. No es verdad que las olas fecunden a las mujeres, pero en cambio es cierto que los seres vivos estamos compuestos por agua, en una proporción que oscila entre el cincuenta y el sesenta por ciento. Las ciencias contemporáneas también opinan que el origen de la vida estuvo en el mar, no porque éste insemine a las mujeres, sino porque los organismos unicelulares nacieron allí. Y los anfibios, los vertebrados más antiguos, se reproducen en el agua. El embrión humano, al convertirse en feto, lleva, en cierto sentido, una vida de submarinista: el líquido amniótico que lo rodea tiene una composición muy similar a la de los mares, o sea, el agua salada. (Recientemente, un joven consiguió sobrevivir durante catorce días, bajo las ruinas del último terremoto en Filipinas, bebiendo su propia orina, compuesta en buena parte de agua.)

Las mujeres de la Polinesia no están, pues, demasiado erradas en su fantasía: si bien ignoran que los espermatozoides contenidos en el semen son los que fecundan sus óvulos, comprenden oscuramente que el agua es el principio de la vida en el planeta. Por lo demás, hasta hace poco tiempo, algunos médicos occidentales recomendaban a las mujeres estériles tomar baños de mar en aguas muy saladas, atribuyéndoles la propiedad de facilitar la fecundación.

El ejemplo de esta creencia de las tribus polinesias ilustra muy bien el papel que desempeñan las fantasías en nuestra representación del mundo. Las fantasías son productos de la imaginación que explican o representan aquello que ignoramos, desconocemos o no encuentra respuesta suficiente. Los niños suelen construir muchísimas fantasías acerca de lo que ignoran o de aquello que se les oculta. Sigmund Freud fue el primero en observar y analizar las numerosas fantasías infantiles en cuanto al sexo, el nacimiento y la reproducción, temas que fueron considerados tabús en la educación durante muchísimos siglos. Pero también observó que no siempre esas fantasías, impregnadas de fuerte contenido emocional, desaparecen cuando el saber racional aporta las explicaciones verdaderas: replegadas al inconsciente, reaparecerían encubiertas en aquellas manifestaciones de la vida erótica que generalmente se denominan «perversas» (en la acepción psicológica del término, sin apreciaciones de orden moral).

La explicación que solía dárseles a los niños sobre

el nacimiento: la cigüeña trae a los bebés de París *, es para el adulto una mentira, pero para el niño constituye una de las tantas fantasías que puede elaborar por sí mismo. Freud descubrió, después de una exhaustiva investigación, que la fantasía más generalizada de los niños es la de que los hijos nacen en el ombligo y son expulsados por el recto, junto a las materias fecales. También observó que los niños (varones o mujeres) creen que la madre es un ser sin sexo, la gran castrada, y sólo posee ano, fantasía que atribuye a la invisibilidad de la vagina a simple vista. (Freud analiza el carácter sádico y regresivo del coito anal, pero a la luz de la fantasía de castración, el varón que sodomiza a una mujer o a otro varón experimenta un goce narcisista: el de ser el único sexuado en esa relación de dos. En efecto, si «el otro» sólo tiene ano, carece de sexo, el varón de miembro activo goza de la castración simbólica del otro o de la otra.)

El poder de esas fantasías, pues, es muy fuerte, y se prolonga hasta la edad adulta. Hace pocos años, en Barcelona, una joven pareja acudió a un servicio de planificación familiar preocupada por la ausencia de hijos. Al auscultar a la mujer, la doctora comprobó varios hematomas en su ombligo: ambos estaban convencidos de que ése era el orificio de penetración.

La falta de información, la ignorancia y el secreto que rodearon la actividad sexual constituyeron el caldo

---

* Se trata de una fantasía de carácter universal, ampliamente extendida hasta hace poco tiempo. La elección de la cigüeña como ave portadora de los niños corresponde, sin duda, a culturas rurales, en tanto que la llegada anual de las cigüeñas al campanario de la iglesia, donde habían construido su nido, era la señal de que comenzaba el buen tiempo. La procedencia parisina de los niños tiene que ver con el prestigio de esta ciudad, universalmente conocida y emblema de la cultura, del saber y de la libertad durante los últimos siglos.

de cultivo para toda clase de fantasías, de limitaciones, de complejos y de traumas. (Hasta hace poco tiempo, la mayoría de las adolescentes eran sorprendidas por su primera menstruación sin tener idea de lo que significaba. Algunas creían que se trataba de una rara y maligna enfermedad; otras, asociaban la aparición de la sangre menstrual a algún pecado adulto y casi siempre imaginario. Otro tanto puede decirse de la boda. La gran mayoría de las mujeres llegaban vírgenes al matrimonio, ignorándolo todo acerca de las relaciones sexuales. Tampoco conocían los sistemas anticonceptivos, lo cual daba lugar a una gran cantidad de técnicas fantasiosas para evitar el embarazo, o a métodos completamente espúreos de aborto, en medio de la clandestinidad, los riesgos sanitarios y la vergüenza.)

Pero la fantasía de las mujeres polinesias es muy rica en significados simbólicos y culturales. En efecto, el mar es uno de los arcanos más importantes en la historia humana. Su naturaleza líquida, cambiante, fluida, su fuerza, su mansedumbre, las múltiples criaturas vivas que guarda en su interior, el carácter insondable de sus profundidades hacen de él uno de los símbolos más polivalentes en las diversas culturas. Para Freud, el mar es la representación del inconsciente, pero aún antes que él, augures, magos de las tribus y descifradores de símbolos insistieron en que representa las pulsiones más hondas y oscuras de nuestro ser. En algunas mitologías antiguas, el mar es el padre o la madre. Entre los griegos, Neptuno —nombre latino de Poseidón— era hermano de Júpiter e igual a él en dignidad. Al repartirse el Cosmos con sus hermanos, le tocó ser dueño del mar. Todos sus atributos —el tridente, el delfín y el caballo— son fálicos, pero sus dominios —los mares y los océanos— estaban habitados por divinidades menores, casi todas femeninas: las

Arnold Böcklin, *Nereidas jugando,* Kunstmuseum, Basilea.

Nereidas (ninfas de los mares interiores), las Náyades (ninfas de aguas dulces) y las Oceánidas (que habitaban los océanos). El largo, desmesurado y apasionado combate del capitán Acab contra la gran ballena blanca, en la novela *Moby Dick* de Hermann Melville, es, en cierto sentido, la representación simbólica de una cacería sexual, en la que el viejo marino, antes de morir, debe enzarzar en su arpón a la enorme y fuerte ballena, símbolo de la sexualidad femenina, tan temida como deseada, tan fantaseada como reprimida.

Nuestra lengua ha sido extraordinariamente sensible a este sexo mutante del mar, ora femenino, ora masculino, porque tiene la posibilidad de designarlo con ambos géneros. Es interesante observar cómo los poetas (quienes mejor representan el imaginario individual y colectivo) toman posición frente a este sexo ambiguo del mar. Para Rafael Alberti, en cuya poesía el agua siempre está presente, el carácter femenino del mar es indudable: siempre habla de «la mar», madre, esposa, amante, cuerpo del deseo más profundo. En cambio, para Pablo Neruda, el mar es masculino:

Compañeros, enterradme en Isla Negra
frente al mar que conozco
Quiero ser arrastrado
hacia abajo en las lluvias que el salvaje
viento del mar combate y desmenuza.

La seducción de las sirenas

Pero de todas las fantasías que rodean el mar, ya sean de tradición oral o escrita, en escultura o en pintura, la de las sirenas es la más rica, compleja y sugestiva *.

Según Homero, eran ninfas célebres por la dulzura de su canto que habitaban una isla situada entre la isla de Ea y las rocas de Escila, en la costa Oeste de lo que hoy es Italia. Su número era impreciso. Poseían el don de profetizar y atraían a los marinos con su canto, conduciéndolos a un vasto prado lleno de osamentas, restos de todos los antiguos marinos que habían sucumbido a sus melodiosas voces. Ulises, en *La Odisea,* consigue escapar a la diabólica acechanza, atándose a un mástil y tapando con cera las orejas de sus compañeros.

---

* Un magnífico estudio literario e iconográfico sobre el mito de las sirenas es el libro *Le sirene,* de Meri Lao, editado por Antonio Rotundo, Roma, 1985. No hay traducción al castellano, hasta el momento.

Hay muchas interpretaciones acerca de este mito. Sin duda, las sirenas que hábilmente atraían a los marinos para matarlos son la representación simbólica del poder de seducción mortal que se atribuye a algunas mujeres. En este sentido, serían los antecedentes remotos de las «vampiresas» o «mujeres fatales» que inspiraron tantas novelas y películas. El hecho de que fueran criaturas mitad humanas mitad animales (en las tradiciones más antiguas tenían alas de pájaro, pero luego perdieron las alas y adquirieron cola de pescado), era el símbolo de su carácter monstruoso. Por lo demás, unir la belleza y el amor con la muerte (Eros y Tánatos) es una tendencia que se manifiesta en numerosas culturas.

Las figuras fantásticas de las sirenas dieron origen a decenas de leyendas, eventos y supersticiones. La mayoría de las ciudades marinas del Mediterráneo (y algunas del Norte de Europa) conservan relatos orales sobre maravillosas capturas de sirenas, y un diario inglés del siglo XVII habla de la aparición de una *mermald* (sirena) en las costas de Gran Bretaña. A principios de nuestro siglo, con motivo de la Exposición Universal de Barcelona, el *Diario de Barcelona* menciona a un coleccionista de «rarezas» que deseaba exponer una sirena disecada, comprada a un viejo marino (sic).

> «Emiten un concierto de voces de extrema dulzura pero los conducen al naufragio y son la causa de mortales peligros. Quienes las han visto dicen que son bellísimas vírgenes hasta el ombligo, pero lo que las hace monstruosas son las alas que lucen por abajo *.»

* La traducción es mía.

El *Bestiario* de Pierre Ricard, redactado entre el siglo XII y XIII, las describe de esta manera:

> «Las sirenas significan las mujeres locas que atraen a los hombres y los matan mientras duermen, engañándolos con sus palabras, y conduciéndolos a la miseria y a la muerte. Las alas de las sirenas representan el amor de las mujeres, que va y viene.»

En el Renacimiento y el Siglo de Oro español hay numerosos escritores que retoman el mito de la sirena. Calderón de la Barca le dedica una de sus obras: *El golfo de las sirenas.* Y J. W. Goethe, uno de los grandes genios de la humanidad, introduce en la segunda parte de *Fausto* un largo diálogo entre Mefistófeles y la sirena, que en este caso representa la búsqueda de lo imposible.

En 1917, Franz Kafka publicó uno de sus breves textos más significativos: *El silencio de la sirena.* Pero su recuperación del mito es completamente subversiva; obsesionado por la angustia de las normas absurdas y por el inclemente «silencio de Dios», Kafka retoma la leyenda homérica de *La Odisea* y le da un giro nuevo: «Las sirenas tienen un arma más terrible todavía que su canto, y es su silencio.» Es imposible que Ulises se salvara tapando sus oídos con cera, porque las voces melodiosas de las sirenas atravesaban cualquier obstáculo. «Nunca ocurrió —dice Kafka— pero es posible que alguno pudiera salvarse de su canto, pero de su silencio, ciertamente, no.»

Como motivo plástico, las sirenas han dado lugar a un número casi infinito de representaciones. Sin ánimo de registrarlas todas, hay que destacar algunas. En el Museo del Louvre, por ejemplo, se conserva un hermoso bronce jónico del siglo VI a.C.: es una sirena galliforme, de las más antiguas: cabeza de mujer y pequeño cuerpo de pájaro. Es una sirena, también, el famoso *Monstruo de Ravena,* xilografía del año 1520. En el capitel de la Iglesia de St. Germain-des-Près aparece esculpida una sirena «asesina de peces». En la Catedral de Toledo, en el batiente externo de la puerta del claustro, hay una sirena del siglo XVI. Arnold Böcklin, uno de los pintores románticos de mayor reputación, es autor de varios cuadros con nereidas y sirenas; Max Klinger prefirió pintar el encuentro amoroso en el mar de una sirena y de un tritón. Es una sirena, también, el bellísimo cuadro de Edvard Munch, *La dama del mar,* de igual modo que hay algunas sirenas en *El jardín de las delicias,* de J. Bosch. Magritte pintó a una sirena (con cabeza de pez) reclinada en un sofá en el cuadro *El universo prohibido*

René Magritte, *La invención colectiva,* colección particular, Bélgica.

y, años después, en una de sus telas más inquietantes —*La invención colectiva*—, invierte la figura: la sirena tiene cabeza de pez y sexo y piernas de mujer, y agoniza en una playa. Es famosa la estatua del puerto de Copenhague, que aparece en muchas postales, con la figura de una hermosa sirena esculpida por Edvard Ericksen. También es muy conocida la sirena del puerto de Sitges, una deliciosa sirenita púber. En el famoso alfabeto de Erté, la G corresponde a una sirena, fina y delgada como un estilete.

Hollywood trivializó (cómo podía ser de otra manera) el mito hasta los extremos bobalicones de *Escuela de sirenas,* con ballets acuáticos de sirenas mitad plástico mitad mujeres, con la ídem Esther Williams. Lo volvieron a hacer (porque Hollywood ama la repetición) con otro de esos productos sintéticos: Doris Day, en *Espía de medianoche.*

Todos los *bestiarios* *, tanto los medievales como los renacentistas, describen a las sirenas (ya sea en su forma antigua, con aletas en los pies, o en su forma posterior, con cola de pescado), y muchos de ellos insisten en que representan los poderes diabólicos de la mujer. Así el abad Teobaldo, autor de *De naturis animalium,* en los primeros años de nuestra era, dice:

> «Las sirenas son monstruos marinos que hacen resonar numerosos cantos y ritmos con los que cautivan a los navegantes.»

---

* Los bestiarios medievales constituyen una fuente inagotable para el estudio de las fantasías de los hombres sobre criaturas míticas y de doble o triple naturaleza. En el Renacimiento también se confeccionaron bestiarios, y la costumbre perdura hasta nuestros días. G. M. Ricci ha editado el hermoso *Bestiario* de Zötl, con textos escritos para la ocasión por Julio Cortázar. Jorge Luis Borges, a su vez, es autor de *El libro de los seres imaginarios,* que es un completísimo bestiario.

CAPITULO CUATRO

Análisis de una fantasía erótica: Leda y el cisne

El placer de lo prohibido

Allí donde hay un deseo imposible, surge el mito: en el plano de lo imaginario, es decir, de la fantasía, se realiza aquello que no puede ocurrir en la realidad. Este mecanismo (la sublimación del deseo insatisfecho a través del recurso a lo imaginario, a lo fantástico) sucede tanto en el ámbito individual como en el histórico o colectivo. La fantasía es, pues, un ámbito de traslación, de *traducción* imaginaria del deseo reprimido. En cuanto a la *represión,* como recurso psicológico y como encarnación de la ley frente al deseo, habría mucho que decir. *Prohibido prohibir* es un lema psicótico que sólo puede aceptarse parcialmente como respuesta a un exceso de represión, pero jamás en su mera literalidad. En efecto: la convivencia social se funda en una serie de prohibiciones que sostienen el principio de realidad: está prohibido matar, robar, violar, etc. Constituyen el límite de las pulsiones instintivas: no me puedo apropiar por la violencia de todo aquello que deseo, sean los bienes del prójimo, sus hijos o sus esposas. Sin duda, hay prohibiciones sobre las cuales la inmensa mayoría está de acuerdo, porque permiten la convivencia, aunque sea al alto precio de tener que claudicar en nuestros deseos. Ahora bien, si se pueden prohibir ciertos actos en nombre de la convivencia social (robar, matar, violar, mantener relaciones sexuales con menores de edad, etc.), el deseo no se puede prohibir. ¿Qué cauces de salida encuentra este deseo que no está destinado la satisfacción en el plano de la realidad? Generalmente, aparece de forma simbólica en nuestros sueños, o consigue identificarse con alguna expresión artística con la que entra en juego. El arte representa, muchas veces, las pulsiones prohibidas por el pacto social o por nuestro propio yo, el censor más severo que tenemos.

Es verdad que a veces, de manera ingenua, ciertas personas *dicen* carecer de fantasías eróticas, por ejemplo, de lo cual no hay que deducir que no tienen deseos reprimidos. Antes bien, hay que pensar que la represión de la parte consciente de su yo ha sido tan fuerte que difícilmente afloran sus pulsiones más íntimas. (Estas mismas personas pueden sentir que las manos les transpiran al escuchar ciertas melodías, que los ojos se le nublan al contemplar un desnudo en una revista y jamás reconocerían que se trata de emociones o de sensaciones de tipo sensual, sexual y erótico.)

Pero volvamos al principio: allí donde hay un deseo imposible (sea cual sea el carácter de este impedimento: moral, social, religioso, etc.) se erige una fantasía, un mito sustitutivo. La historia real (la base social) de los grandes mitos, en cualquier civilización, es una pulsión colectiva que representa, en el plano de lo ilusorio, de lo imaginario, la fuerza de ese deseo. En los orígenes, el espacio de esas fantasías fue la religión, la mitología. Pero simultáneamente a la irrupción de dioses y de diosas, de divinidades mayores y menores, provistas de su biografía y de su leyenda (no unívocas: en general, esas historias eran múltiples, hasta que una predominó, sobrevivió más tiempo y consiguió eclipsar a las demás), aparece también el arte, en sus manifestaciones principales: la escritura y la pintura, la escultura y el dibujo. Una vez desaparecidas las religiones politeístas y fijado el texto de las monoteístas (los libros sagrados), el terreno de lo imaginario, de la fantasía, se hizo exclusivo del arte. Los grandes mitos y el desarrollo de lo imaginario se trasladaron a la poesía, a la novela, a la pintura y al cine, con exclusividad, puesto que las religiones habían quedado cerradas: fijaron su Dios, establecieron para siempre unos textos, hasta una interpretación, y se convirtieron de mitos en ritos.

Las antiguas religiones están llenas de leyendas de carácter erótico, porque los hombres encarnaban en ellas los deseos imposibles, los miedos y los misterios. (El escritor argentino César Fernández Moreno lo apostilla con una sola frase de sus irónicos «Ambages»: «Todo lo que no se hace carne, se hace fantasma.»)

Una de las leyendas más fértiles en sugestiones literarias y pictóricas es el mito griego de Leda y el cisne, que, a pesar de su antigüedad, ha sido sucesivamente retomado por la poesía y la pintura, hasta nuestros días.

Según la mitología griega, Leda era una hermosa mujer, casada con Tíndaro, y madre de tres hijos. Cierto día, mientras se bañaba en las riberas del Eurotas, fue sorprendida por Júpiter, quien, inflamado de deseo, se transformó en cisne para poseerla. Se trata, pues, de un ejemplo de transformismo (de travestismo, para decirlo en términos modernos) y de zoofilia, o sea, de relación entre seres humanos y animales.

Casi todas las mitologías son ricas en historias de

Leonardo da Vinci, *Leda*, Villa Borghese, Roma.

acoplamientos entre animales y seres humanos. Algunas, como las griegas, inventaron criaturas de doble naturaleza, animal y humana, al mismo tiempo: los centauros, las arpías (ave fabulosa, con rostro de mujer y cuerpo de ave rapiña), la medusa (se le atribuía una belleza maravillosa; Neptuno se transformó en pájaro para seducirla, en el templo de Minerva, y ésta, irritada, trocó los cabellos de Medusa en serpientes), etc. A pesar de la existencia de estas criaturas de doble naturaleza, una estratagema muy común para copular con alguien que se resistía consistía en transformarse en animal. Las relaciones entre seres humanos y no humanos era bastante habitual, pues, en muchas mitologías, y en especial en la griega. Podemos pensar que el acoplamiento entre hombres y animales formó parte de las costumbres más antiguas de algunos pueblos, aunque hay pocas referencias históricas a ello. Lo que está claro es que casi todas las culturas lo consideraron una perversión, y que una ley no escrita los vedó como objetos de deseo.

Todavía hoy, sin embargo, en algunos pueblos muy primitivos se escuchan historias, de carácter oral, que refieren hechos así, especialmente entre solitarios pastores con sus cabras o sus ovejas. ¿Por qué esta reiterada presencia, entonces, en la mitología y el arte, es decir, en el espacio de las fantasías, de los deseos no realizados? Sin duda, porque allí donde la ley, las costumbres o la religión impiden algo, el deseo se refuerza (aunque también vale la interpretación de que si hay que imponer algo a través de la ley es para erradicarlo de la práctica individual y social). ¿Por qué el mito de Leda subyugó a tantos artistas?

En primer lugar, Leda era una mujer hermosa e inaccesible. Sabido es que las dificultades aumentan el deseo de los conquistadores: cuanto más obstáculos hay que vencer, más valiosa será la conquista. El poderoso Júpiter no aceptó jamás un límite a su deseo y, en este caso, optó por el disfraz que le permitió acceder a Leda, bajo la inofensiva forma de un cisne. Creo que en esta fantasía se encierran algunos otros símbolos permanentes del erotismo universal: el placer de transgredir la voluntad de la mujer (goce sádico) y el placer de obtener lo prohibido.

Por otra parte, casi siempre que se plantea una relación de zoofilia, la mujer es sujeto pasivo, mientras la parte viril es el animal. Una de las escenas eróticas más fascinantes de la historia del cine es la famosa de King-Kong, el gorila monstruoso, sosteniendo en su mano a la atribulada joven y a punto de violarla con no se sabe qué. Creo que su carga erótica, completamente subliminal, consiste justamente en la *desproporción*. En algún arcano del inconsciente colectivo —denominación que le dio J. G. Jung a los recuerdos inmemoriales del pasado de la especie que podríamos arrastrar genéticamente—, la desproporción de los órganos es una fuente de deseo perverso. Esto lo saben perfectamente los autores de *comics* eróticos y las revistas pornográficas, cuyos ostensibles reclamos visuales tienen que ver muchas veces con el tamaño, grosor y volumen de los órganos sexuales. Se trata, según mi interpretación, de apelar con éxito, muchas veces, a una simple ecuación: mayor tamaño, mayor cantidad de placer.

Esta falsa creencia es de origen infantil: el niño, a quien por su bien, se le impide comer todo el chocolate que desea, se compensa imaginariamente pensando que «cuando sea mayor» comerá varios kilos diarios de bombones. Que a mayor cantidad o tamaño no hay necesariamente mayor placer, sino a veces lo contrario, por saturación, es uno de los saberes que aprende el ser humano maduro e ignora el psicótico. Nuestra capacidad de placer es limitada; traspasar su límite —y a veces intentar superarlo— es un desafío que no tiene nada que ver con el amor, sino con el narcisismo. Sin embargo, mucha pornografía barata, y hasta alguna de la más presuntuosa —por ejemplo, las obras del Marqués de Sade— pretenden transgredir ese límite y proponen un placer sin límite y sin fin. Más allá del límite del placer, no hay más placer: hay dolor y psicosis.

Un acoplamiento extranatural

La sugerencia de esa famosa escena de la película *King-Kong* toca, en algún lugar, una fantasía bastante común: un acoplamiento extranatural, sobrehumano o infrahumano. Algo desconocido por la mayoría de los espectadores, pero posiblemente ensoñado o fantaseado más de una vez. (Nos encontramos con uno de los mecanismos característicos del deseo: la curiosidad, el misterio, lo prohibido.) No hay que olvidar que muchas de las metáforas que se emplean habitualmente para hablar de la potencia sexual masculina hacen referencia al mundo animal: en América Central, por ejemplo, ser muy «gallo» quiere decir ser muy viril; en el mismo sentido, en todo el mundo de habla castellana se usa «potro salvaje» y «toro». (En las fantasías que suelen acompañar al acto sexual, algunos hombres han confesado que experimentan el deseo de gritar, como un gallo, o de golpearse el pecho, como un gorila.) Es verdad, por otra parte, que es justamente en nuestro comportamiento instintivo en lo que nos parecemos a los animales, es decir, en el material más antiguo y común. Cuando nos comportamos de una manera instintiva, no nos diferenciamos mucho de los gorilas, de los osos o de las aves: huimos ante el peligro, tenemos hambre, tenemos sed, defecamos, nos acoplamos. La interdicción de establecer relaciones sexuales con los animales es de carácter cultural y debió nacer, justamente, para acentuar la frontera entre hombres y bestias.

Al referirme inicialmente a esta escena de la película *King-Kong* dije: «...a punto de violarla con no se sabe qué.» Deliberadamente, este «no se sabe qué» alude a ese vacío (llenado con fantasías) de la ignorancia sexual infantil, fuente de todo tipo de alucinaciones, según Freud. Para éste, son fantasías «aquellas representaciones no destinadas a convertirse en actos». (Véase *Tres ensayos para una teoría sexual.*) Luego, agrega: «Las fantasías de la pubertad tienen su punto de partida en la investigación sexual infantil, a la que el niño hubo de renunciar en épocas anteriores, y es

Fotograma de *King-Kong* (Tele-Películas).

posible que se remonten más atrás, hasta el período de lactancia. (...) Entre las fantasías más comunes de la pubertad, se encuentran aquellas de presenciar la relación sexual de los padres, la iniciación sexual del joven por una persona amada, la amenaza de castración y la vida prenatal en el seno materno.»

La famosa escena de *King-Kong* nos remite, pues, a una oscura fantasía primitiva: los acoplamientos monstruosos entre hombres —o mujeres— y bestias. (Otro ejemplo, en la mitología griega, de esta clase de relaciones es el acoplamiento de Pasífae, esposa de Minos, con un maravilloso toro blanco salido del mar por orden de Neptuno. De esta unión nació el Minotauro.) En el extremo opuesto de esta escena que hemos citado, otra de las cimas eróticas del cine es el baile nocturno, con parejas cruzadas, de la película *Verano violento,* del excelente cineasta italiano Valerio Zurlini. La película fue prohibida por la censura durante el franquismo, por su contenido antifascista, probablemente, pero durante mucho tiempo constituyó una referencia obligada del cine europeo. En la escena a la que me refiero, Eleanora Rossi Drago, en la madurez de su elegante y sugestiva belleza, baila la melodía *Stormy weather* (que se haría enormemente famosa) con un acompañante, mientras Jean-Louis Trintignant, enamorado de ella, aunque mucho más joven, baila con una adolescente. La escena está filmada de modo elocuente: los dos enamorados, con parejas convencionales y cruzadas, danzan opuestamente, pero mirándose intensamente, en una habitación iluminada sólo con la luz de la luna, al fondo de una terraza donde se escucha el mar. La escena, de varios minutos de duración, obtiene un efecto pasional tan fuerte que el director no necesita ningún diálogo, ningún recurso narrativo para comunicar al espectador que nos encontramos ante uno de esos casos de *amour fou*.

Rienda suelta a las fantasías

La leyenda de Leda y el cisne fue un símbolo de sensualidad y delicias eróticas retomado muchas veces, hasta nuestros días. Rubén Darío exalta en el poema «Leda», de *Prosas profanas*, la belleza de ambos, y erige al cisne como símbolo de la poesía, de la sensualidad, del erotismo. En *El nido de la oropéndola*, novela pornográfica contemporánea bastante bien escrita que ha tenido mucho éxito en Francia y en España (sucesión de peripecias sexuales, suerte de delirio sadomasoquista llevado al paroxismo), el mito de Leda es retomado, ampliado y modificado. En efecto, en uno de los pasajes de la novela, una serie de bellísimas mujeres (casi todas Amas, es decir, sádicas) se bañan en una maravillosa piscina interior completamente desnudas, y atraen, con sus movimientos lascivos, sus caricias y sus ungüentos, a los cisnes especialmente amaestrados para satisfacerlas*.

Como se puede apreciar, en esta versión apócrifa del mito de Leda los papeles psicológicos han sido subvertidos: en el mito clásico, Leda, pasiva, es la víctima inocente de las astucias del poderoso Júpiter, viril y sádico; en *El nido de la oropéndola*, son las mujeres las sádicas y lascivas, mientras los cisnes se someten a sus órdenes.

---

* «Como si hubiese recibido una señal secreta, el cisne se volvió bruscamente y empezó a nadar hacia Stella. Se detuvo un instante, levantando sus alas y agitándolas, luego prosiguió su lento y provocativo deslizamiento hacia el sexo abierto.»

Otra novela de éxito en nuestros días es *La vida sexual de Robinson Crusoe,* del escritor francés Michel Gall *. La novela sufrió múltiples peripecias antes de ser publicada por primera vez: nadie se animaba a hacerlo en Francia, hasta que la editorial inglesa Olympia Press lo hizo, pero traducida al inglés y con seudónimo. En el prólogo, el autor dice que la escribió en poco más de quince días, cuando era un joven veinteañero, y con ánimo de escandalizar. En los años setenta, una vez eliminada la censura norteamericana, gracias a los esfuerzos de los movimientos de liberación, *La vida sexual de Robinson Crusoe* vendió millones de ejemplares, entre las ediciones autorizadas y las piratas. En cambio, no consiguió que ningún productor digno la llevara al cine: sólo tuvo ofertas de deleznables productores de «porno duro» y para circuitos marginales.

La gracia de esta novela de Michel Gall consiste en desarrollar, hasta la saturación, todas las fantasías sexuales de Robinson, sometido a la abstinencia forzosa, estimulado por los bellos paisajes, por la naturaleza exuberante y por la dulzura de los crepúsculos. Colocado en el límite de la soledad, en una situación *desculturalizada* (puesto que la cultura es una necesidad de la convivencia social, no del instinto), Robinson se entrega desaforadamente a fornicar con todo lo que encuentra, como si de pronto, al no ser visto, al no ser mirado (al carecer de vínculos con la ley, con la sociedad) pudiera dar rienda suelta a todos los impulsos que tuvo que refrenar, a todas las ensoñaciones imposibles. Michel Gall reescribe la novela de Daniel Defoe a partir de los silencios pudibundos de éste, con una clara

---

* Editorial Martínez Roca, serie La Fuente de Jade, Barcelona, 1988.

actitud de escándalo, pero el proceso de «bestialización» de Robinson (que fornicará con el loro, una cabra y con Viernes, entre otros) es muy revelador acerca del papel que juega el compromiso social en la represión de los instintos: la novela es una utopía, en el sentido en que lo son las obras de Sade *, porque imaginan un espacio de anarquía donde sólo existe el placer (opuesto, según ellos, a la sociedad).

En la fantasmagoría de muchos pueblos existen criaturas semihumanas a quienes se atribuye una sexualidad exagerada y perversa. Su poder se acrecienta porque pueden vivir disimulados entre los hombres y mujeres, hasta que sus crímenes y excesos sexuales los descubren. Aman la sangre, el sexo y la muerte; precisamente por estas características, los artistas románticos los convirtieron en protagonistas de sus historias. El Romanticismo, que nació como una reacción contra el predominio de la razón, buceó en las profundidades del inconsciente para descubrir o inventar estos monstruos hipertrofiados. El siglo XIX, que fue el siglo romántico por excelencia, está repleto de leyendas y obras literarias y pictóricas que encarnan en la mezcla animal-persona el gusto por lo excesivo, por lo pasional, por los contrastes violentos. Vampiros, lobisones, Frankesteins y panteras lujuriosas, en un escenario profundamente sensual y sugestivo (noches de luna, tormentas tenebrosas, viejos castillos, familias en decadencia), forman un imaginario de riquísimas interpretaciones. En 1981, el cineasta Paul Schrader recogió una de esas leyendas para filmar *El beso de la pantera,* película barroca y truculenta, llena de elementos románticos. Pero no hay que olvidar que se trata

---

* Los aspectos filosóficos de la obra del Marqués de Sade se desarrollan fundamentalmente en su obra *La filosofía del tocador,* editada en castellano por Tusquets Editores, Barcelona, 1988.

Fotograma de *La mujer pantera*, un clásico del cine fantástico (Tele-Películas).

de una nueva versión de *La mujer pantera* de Jacques Tourneur, un clásico del cine fantástico del año 1942.

En ambos casos se parte de la misma leyenda: la existencia de una raza maldita de seres procedentes de un antiguo y exótico pasado, que ignoran, y para los cuales el apetito sexual está íntimamente ligado a la crueldad y a la muerte. En todos los casos, lo que está en discusión es, por un lado, la identidad de tales criaturas y, por otro, la condena a cumplir un instinto anómalo que los convierte en culpables y víctimas al mismo tiempo. En casi todos los casos, por lo demás, estas extrañas criaturas se entregan a su festín ritual de sexo y sangre sin escrúpulos; sólo vacilan cuando el amor les impide consumar la agresión (es decir, el placer sexual), como si sexo y amor estuvieran radicalmente divorciados; el amor actúa en ellos como freno a la pulsión de muerte.

Todos estos elementos están presentes en *El beso de la pantera,* protagonizada por una Natasja Kinski cuyos recursos interpretativos son mucho más escasos que su atractivo físico. Pero la película de Schrader agrega un poderoso elemento perverso a la trama convencional de la leyenda de las panteras lúbricas: en este caso, es el incesto (con un tenso y crispado Malcom McDowell, muy adecuado a su papel) el que perpetúa la raza y constituye el signo de identidad de la estirpe animal-humana. El desequilibrio de la película se debe más a la estética del director, demasiado explícito, que a los núcleos temáticos, de gran riqueza.

El cisne sustituido por la máquina

El poderoso desarrollo de las ciencias y de la técnica en la segunda mitad de nuestro siglo ha traído aparejado un cambio en el imaginario del acoplamiento monstruoso. Ya no es el blanco y ebúrneo (adjetivo muy usado por Rubén Darío) cisne el que acecha a la hermosa y desvalida mujer. Ahora, son las máquinas. La escena de lo monstruoso, de lo bestial, ha cambiado. En parte, porque al domesticar o destruir a casi todos los animales, éstos ya no simbolizan la fuerza oscura, poderosa e incógnita del deseo. Los robots, las máquinas electrónicas, han entrado en la cocina, en la sala de estar, y por qué no, en el dormitorio. Estas máquinas especulares pueden tener deseos inconfesables: se escapan del poder que las concibió y ejecutan fantasías que los seres humanos suele reprimir.

La ciencia ficción, el único género literario nuevo de este siglo, fue el primero en proponer a las máquinas como monstruos apocalípticos. De la novela pasaron al cine. En *Barbarella,* una película de Roger Vadim, protagonizada por Jane Fonda, su esposa en aquel entonces, y a la cual Vadim pretendía imponer como símbolo sexual moderno, la heroína, una aventurera indomable, se enfrenta a una máquina diabólica, uno de esos ingenios fabricados por la ciencia y la técnica modernas. En la escena culminante de la película, la máquina todopoderosa consigue atrapar a Barbarella, la ata con correas y con hierros a una camilla de torturas... e inicia una desenfrenada violación. Pero Vadim, en un vuelco humorístico de la situación dramática, hace que la máquina fracase y se desintegre ante la potencia de los orgasmos de Barbarella. (Invirtiendo el imaginario habitual: la mujer débil, la máquina-animal-hombre fuerte. Vadim interpretaba una de las tendencias de la época: mitificar la capacidad sexual de las mujeres.)

En *Demon Seed,* una película de Danniels, de 1977, adaptada de una novela de ciencia ficción, es

Julie Christie, una científica atractiva y experta, quien soportará las acechanzas sexuales de un ingenio técnico todopoderoso. La escena, altamente perversa, no se parece a la de *Barbarella;* al contrario, Danniels consigue narrar en imágenes una violación de gran tensión pulsional, porque esta extraña máquina, dotada de innumerables falos simbólicos, acorrala a la protagonista, reduciendo las paredes y el techo de la habitación hasta obligarla a echarse en la camilla de los experimentos, donde será violada.

Es una nueva versión del sadismo, muy clásica, por lo demás, en su división de roles: la mujer, víctima de una fuerza o de un ingenio incontrolable. Primero, fueron los animales; ahora, los engendros técnicos.

No es el caso hacer un análisis psicológico de las pulsiones que se encierra en esta escena sádica moderna, pero sí me gustaría apuntar algunos rasgos que son

Fotograma de *Barbarella,* dirigida por Roger Vadim y protagonizada por Jane Fonda (Tele-Películas).

una constante en la historia de la sexualidad humana. La curiosidad es una pulsión de carácter sádico, aun en su manifestación más preciosa: el ansia de saber. (No hay que olvidar el hecho de que en nuestro mito más universal, el pecado original, fue la curiosidad por saber la que perdió a Adán y Eva, expulsándolos del Paraíso. El anatema religioso, pues, se cernía sobre el deseo de saber.) Sigmund Freud, al analizar los comienzos de la sexualidad, en la época infantil, destaca que la curiosidad, la crueldad de los niños, es una manifestación primaria de su instinto sexual. Subraya, además, que para los niños y niñas el único sexo es el miembro viril, posiblemente porque es el que tienen oportunidad de ver. Lo normativo, para los niños, es poseer pene. De ahí se desprende la curiosidad general por el sexo femenino, ese que no se ve, que flota en el misterio y, por lo tanto, es pasto de todas las fantasías.

En ciertos individuos, muy marcados por la curiosidad infantil, por el misterio que rodea a lo femenino (la vagina, u órgano interior, hueco; las reglas, sangrantes, etc.), esa curiosidad, esa extrañeza por «lo otro» —es decir, lo diferente, lo femenino— asume, en la vida adulta, la forma del sadismo: para conocer hay que romper, hay que someter, hay que explorar destruyendo, como hacen los niños con los objetos. Esto explica, también, ciertas parafernalias sádicas con instrumentos (no necesariamente máquinas o ingenios técnicos) en general, de forma fálica, que corresponden a fantasías muy profundas. La película de David Cronemberg, *Inseparables*, adaptación de una novela que reconstruía la vida de dos gemelos ginecólogos de Nueva York, su locura y su muerte, exploraba muy audazmente las fantasías sádicas de uno de ellos, que se hace construir una serie de aparatos de exploración ginecológica especiales para atender a una paciente que, en su delirio, poseía una vagina triple. (A lo monstruoso —la atribución de una vagina triple— el ginecólogo, fiel a su delirio, contraponía otro monstruo: el aparato de investigación.) Las tiendas de sexo saben mucho acerca de esto; el problema es que, a veces, las fantasías son tan individuales que no se pueden fabricar en serie.

CAPITULO CINCO

La fantasía del objeto pasivo: las muñecas hinchables

Fornicar con un envase de mujer

Los soldados norteamericanos que iban a pelear a Vietnam llevaban en sus macutos leche condensada, barras de chocolate, ungüentos antiparasitarios, mecheros electrónicos... y muñecas hinchables. Tenía que ser así, en la cultura del cachivache. La industria norteamericana fabrica varios objetos para una sola necesidad, y también, a través de los objetos, inventa el deseo. Es verdad que los hombres han fornicado con todo lo que se les ha puesto cerca: gallinas, cabras, muñecos de trapo, orificios en la pared, etc., pero cuando por razones extraordinarias de aislamiento o de privación no encuentra animales en su entorno, ni objetos apropiados, utiliza simulacros, réplicas.

Una reciente encuesta, publicada en una revista de gran difusión, decía que uno de cada mil españoles ha comprado una muñeca hinchable en los últimos tres años. El vendedor de una tienda de sexo, del barrio de Gracia, de Barcelona, está acostumbrado a vender muñecas hinchables a individuos entre los treinta y los cuarenta años, generalmente casados y padres de familia. Desinfladas, ocupan poco lugar, y pueden ocultarse hábilmente en el maletero del coche, en un cajón del escritorio o del armario, mezclada con los pañuelos y las bufandas. Estos compradores de los que hablamos suelen enviar a la familia a la playa o al campo, los fines de semana, para entregarse cómodamente en el apartamento solitario a realizar sus más secretas fantasías con la muñeca hinchable. Un adicto me confesó: «Es mucho más higiénico que el comercio de prostitutas; no hay posibilidad de contagio y, además, la muñeca es una propiedad personal, nadie más que su dueño la usa.» El mismo vendedor del barrio de Gracia me contó que un vecino de sesenta años, viudo, había adquirido una hacía poco tiempo. «Le dije que la usara con moderación —me contó—, pero se dio tales palizas con la muñeca que sufrió un infarto y hubo que internarlo.»

La conocida sexóloga y feminista Mary Philips Seattle, en una entrevista que concedió en el año 1980, declaraba: «¿Qué se puede esperar de una generación de varones que ha practicado la sexualidad con muñecas hinchables, como grandes niños autistas? Mientras las mujeres reclaman cada vez más alto ser tratadas como personas en sus relaciones eróticas, es decir, como seres independientes, con un cuerpo, una mente y unos deseos propios, los hombres —rechazando ese plano de igualdad— siguen relacionándose con objetos inanimados.»

El auge de las muñecas hinchables se produce cuando la liberación sexual de las mujeres comienza a abrirse paso, con lo cual nos enfrentamos a una aparente contradicción: si las relaciones sexuales interpersonales son más libres, si la mujer está más dispuesta que nunca a explorar su sexualidad, ¿por qué los hombres fabrican, venden y consumen muñecas hinchables? No se trata, ya, de la explicación inicial, la de la guerra de Vietnam: ausencia de mujeres, sino todo lo contrario.

El reclamo femenino de ser considerada como una persona, o sea, como una criatura autónoma, dotada de su propio sexo, sus fantasías personales, sus deseos activos y su personalidad individual —reclamo cada vez más manifiesto en nuestras culturas—, ha provocado la inquietud, el desasosiego, la inseguridad en muchos varones, que se han tenido que plantear, de manera angustiada, ¿qué quieren las mujeres? En la cama, ahora, hay dos personas, y no un solo deseo (fórmula habitual de las relaciones convencionales en el mundo patriarcal). La inseguridad del varón frente a nuevas demandas, en un plano de igualdad que no le resulta nada cómodo, ha provocado un movimiento de refugio en el objeto: la muñeca hinchable es su fantasía de un deseo solitario, el del varón, ejercido sobre una apariencia de mujer completamente pasiva, es decir, sin voz, sin independencia, sin deseo.

En la soledad de la habitación, el varón, con el objeto inanimado, recupera su dominio de la situación. He aquí una forma de mujer sin voluntad, una forma de mujer que todo lo otorga sin exigir, que se pliega, con la docilidad de la goma, al deseo del macho, y en cuya satisfacción no hay que pensar ni un solo minuto.

La muñeca hinchable es un viejo sueño masculino: fornicar con un envase de mujer completamente pasivo, el recipiente de las fantasías que jamás manifestará ni decepción, ni insatisfacción ni rebeldía. Es verdad: tampoco manifestará contento, placer, emoción, pero el varón que fornica con la muñeca, seguramente no espera estas cosas de su objeto, prefiere no pensar en ello.

La muñeca hinchable es un sueño autista de niños

Muñeca hinchable «Brigitte».

enfermos y locos, hecho realidad seguramente porque responde a una pulsión muy primitiva: el coito como poder, como dominación, como humillación. En ese sentido, es una variante, y sólo una variante, de la relación sexual sadomasoquista característica de las sociedades patriarcales. Que las tendencias sádicas hayan llevado a construir un objeto de mujer apto para la sumisión más absoluta es un delirio realizado, pero sus consecuencias pueden ser muy graves. En primer lugar, en muchos casos inhibe al monomaníaco para relacionarse de igual a igual con las mujeres, que difícilmente aceptarán ser meros objetos y, en segundo lugar, ensancha más aún la brecha entre el erotismo femenino (siempre humanizado, porque no separa la sexualidad del resto de la persona) y el masculino.

¿De dónde nació este sueño perverso de la muñeca hinchable?

La sumisión absoluta

La pulsión de dominio parece característica del género humano: puede observarse en los bebés, cuando comienzan a experimentar con los objetos que los rodean, para someterlos a su voluntad. El sonajero, la cuchara que lanzan o la posibilidad de ponerse y quitarse el chupete de los labios son los primeros pasos en el aprendizaje del dominio sobre las cosas. También hemos dominado hasta cierto punto a la naturaleza y a los animales: montamos a caballo, adiestramos a los perros y a los delfines, etc. Pero esa voluntad de dominio se ha ejercido siempre, también, sobre los demás seres humanos: la esclavitud, eliminada en su forma tradicional, subsiste en expresiones más elaboradas.

El jefe autoritario, el patrón despótico, el empresario explotador o el marido tirano son modelos harto conocidos. El Ejército, estructura jerárquica por excelencia, es un ejemplo institucionalizado de relaciones de poder basadas en la disciplina cerril y no en la razón. Por lo demás, no basta con haber sido esclavo para rebelarse contra el poder: los esclavos casi siempre encuentran a quienes dominar, a su vez, y sobran ejemplos: las novatadas en los cuarteles, la crueldad de los niños hacia el niño «diferente» (extranjero, amanerado, pobre, etc.).

La relación sexual impuesta, muchas veces de manera violenta, y sin el consentimiento de la parte más débil, la femenina, o aquella que la encarna, va más allá del goce físico: simboliza el deseo de dominación y de posesión (acompañado del deseo de humillar) que experimentan muchos individuos. Las relaciones de poder han estado presentes en toda la historia de la humanidad, y pocas veces el ideal de armonía y de respeto consiguió prevalecer. Esto ocurre también en la relación entre los dos sexos (y aun en la homosexualidad; una parte importante de los *gays* optó por fórmulas sadomasoquistas violentas). En cambio, el lesbianismo parece exento de estas pulsiones; incluso ideológicamente repugna de un erotismo que escinda el sexo del resto de la personalidad, donde el macho suele ejercer su función sexual como forma del narcisismo *(yo puedo, yo soy el dueño, yo me impongo)* y de la superioridad. La muñeca hinchable es la fantasía de la sumisión absoluta: no habla, no demanda, no se expresa, no interfiere en el deseo del otro.

Antes de convertirse en un producto de fabricación industrial, como los cepillos de dientes o los televisores, la fantasía de la muñeca estaba en la literatura, aunque mucho más impregnada —claro está— de sublimación.

Para limitarnos a los antecedentes literarios en castellano, hay que citar la novela corta del escritor uruguayo Felisberto Hernández, uno de los autores más sutiles y delicados de la narrativa hispanoamericana anterior al famoso *boom. Las hortensias,* relato largo o novela corta, fue publicado, con grandes dificultades económicas, en Montevideo (Uruguay) en 1941. Era el delirio lírico y psicológico de un escritor raro, extravagante, pobre y a la vez muy seductor. El libro circuló entre amigos, tuvo lectores ávidos y poco numerosos, pero influyó de manera importante en la literatura posterior de América Latina. Cuenta, en un tono delicado, deliberadamente elíptico pero asfixiante, el delirio de un hombre casado y aparentemente feliz en su matrimonio, quien, para amenizar las veladas vespertinas y solitarias de la pareja, se hace construir una serie de muñecas de tamaño de una criatura real, cada una de las cuales está dotada de una biografía propia, y que son vestidas, maquilladas y preparadas especialmente para compartir los ocios del matrimonio. El texto, de una elegantísima sobriedad, evita las alusiones sexuales y opta por narrar el delirio del protagonista (que finalmente se enamora de una de las muñecas) y los celos de la esposa, despojada de su lugar en la vida anímica del marido por esa muñeca que es su réplica casi perfecta.

El libro, extraño y sugestivamente perverso, no fue conocido en España hasta el año 1974, en que conseguí hacerlo publicar en la editorial Lumen, con un pequeño prólogo que escribí a propósito *. Poco después, Luis García Berlanga, el director de cine español apasionado por los temas eróticos, realizaría *Tamaño natural,* la película protagonizada por Michel Piccoli, que narra la obsesión de un odontólogo de éxito por una muñeca que desplaza lentamente a su esposa.

A pesar de que las muñecas hinchables formaban parte del imaginario de muchos hombres, pocos se animaban a confesar esta afición. Uno de ellos fue Ramón Gómez de la Serna, el original escritor español. Ramón, extravagante, muy afecto a *épater le bourgeois* (el lema que pusieron de moda los poetas simbolistas y luego los surrealistas), tenía en su casa un maniquí articulado, al que vestía, peinaba y acicalaba, y con quien le gustaba fotografiarse a la hora del té. Posiblemente en su caso, y en el de otros artistas, el maniquí o la muñeca semihumana tienen otro significado, también: simbolizan el sueño del creador de dar a luz a los personajes de su imaginación, esos que «viste y desviste» en el papel.

---

* Recientemente ha aparecido otra edición, ésta de Siruela, Madrid, 1990.

Las muñecas hinchables constituyen una floreciente industria del mundo tecnificado; en muchos países, se las puede comprar por correo y el cliente elige su modelo preferido en un catálogo variado y surtido. Las marcas más prestigiosas, en los Estados Unidos, fabrican algunas con rostros de las actrices más famosas: Marilyn Monroe, Sofía Loren, Elizabeth Taylor, etc. Otra marca importante, en Suecia, ha lanzado al mercado un nuevo modelo, provisto de una especie de piel de goma y caucho que, según los expertos, imita muy adecuadamente la textura y la temperatura de la epidermis femenina.

Hasta ahora, los fabricantes de objetos eróticos no han puesto a la venta un muñeco inflable masculino con pene sintético. No se trata, sin duda, de una imperdonable omisión del mercado. En la época en que vivimos, la época del furor de los objetos, difícilmente se puede pensar en una omisión inadvertida. Se trata de una razón mucho más profunda: las mujeres no son buenas clientas de fantasías eróticas estandarizadas, fabricadas en serie. No suelen aceptar «objetos» sucedáneos de las complicadas relaciones interpersonales. Un objeto de esas características (un muñeco hinchable o un robot de acción automática) les provocaría risa más que excitación erótica. Quizás porque la mayor aspiración femenina, hasta nuestros días, ha sido la igualdad en las relaciones personales, y no el sexo como manifestación de un oscuro deseo de poseer y humillar.

CAPITULO SEIS

Una fantasía gay*: el martirio de san Sebastián*

San Sebastián fue capitán de guardia pretoriana y dio la vida en defensa de su fe, en el año 299.

(Devocionario)

Belleza y éxtasis final

En uno de sus textos confesionales, Mishima, el gran novelista japonés, declara que tomó conciencia de su homosexualidad a través de las intensas emociones que le produjo la contemplación de una imagen de san Sebastián herido por las flechas, en el éxtasis de la muerte *. Pero Yoshio Mishima no es el único homosexual o bisexual que hace esta confesión. Alrededor de las múltiples y bellas imágenes del tormento de san Sebastián se ha construido una estética *gay* y un culto completamente revelador. La revista *Gaipied,* un semanario homosexual de información política y general editado en Francia, de gran prestigio, anuncia en el número 397, correspondiente al mes de diciembre de 1989, una gran exposición iconográfica sobre el mito de san Sebastián, integrada por más de treinta cuadros, esculturas y *collages.* Agrega: «Son visiones extremada-

* Citado por Henry Scott Stokes en su libro *Vida y obra de Yoshio Mishima,* Muchnik Editores, 1988.

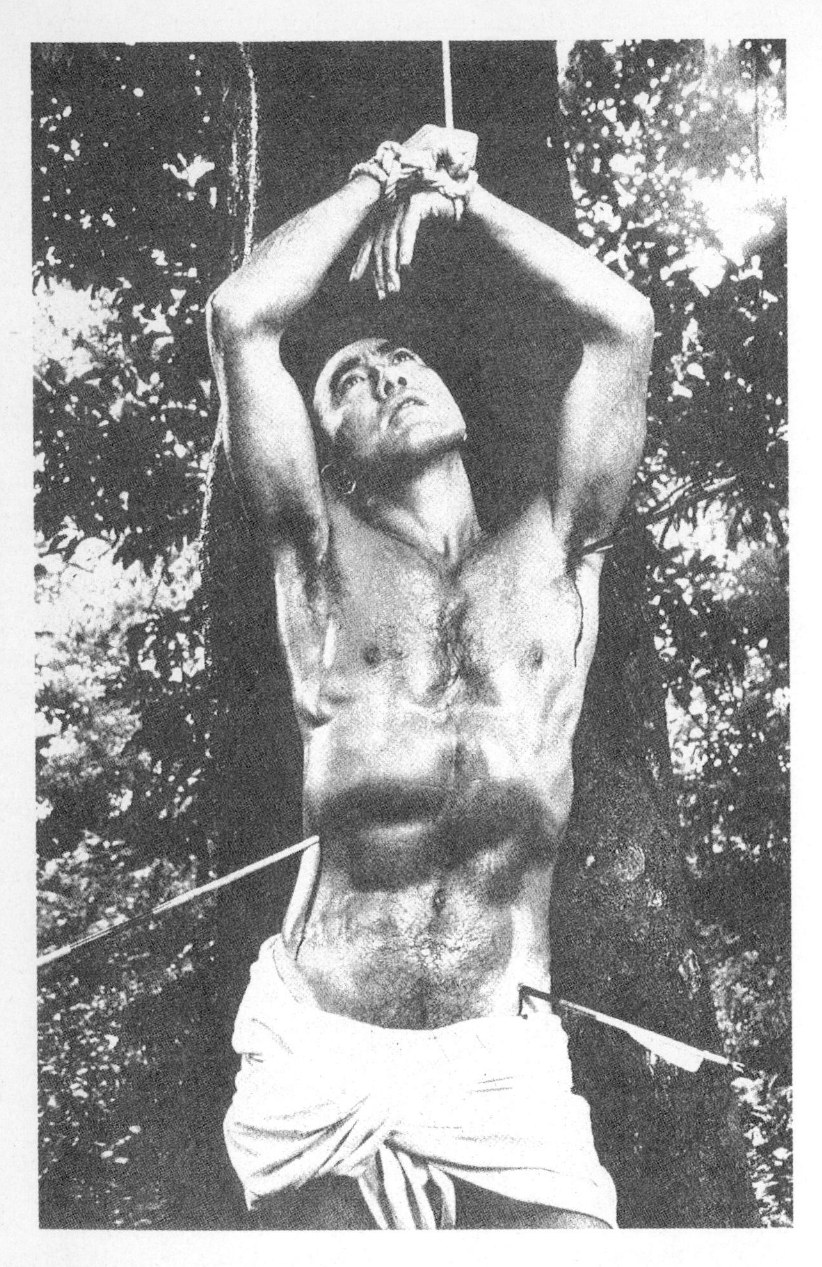

Fotografía de Yoshio Mishima imitando a san Sebastián (1970).

mente sensuales de un mártir sorprendido en su último éxtasis.»

El martirio de san Sebastián fue un tema pictórico muy común en el arte y en la escultura del Renacimiento *; muchos artistas lo recrearon, porque la conjunción de juventud, belleza y muerte es un estímulo al que pocos genios pueden sustraerse. En nuestros días, el mito ha sido retomado por la estética *gay* como fuente de emoción y simbolismo. La leyenda cuenta que Sebastián era un capitán romano, joven y bello, de quien se enamoró un centurión. Como Sebastián le negó sus favores, el centurión lo denunció por su fe cristiana y fue condenado a morir bajo las flechas de sus arqueros, muerte más digna, en virtud de su grado, que la de los cristianos comunes, que eran arrojados al foso de los leones.

En la película *Sebastianne* (1976), de Derek Harman, *film* emblemáticamente *gay*, la negativa de Sebastián ante el centurión romano tiene otra causa: la fidelidad a su amigo y amante.

Todas las imágenes que evocan la historia del santoral tienen algo en común: la belleza del joven cristiano y su éxtasis final, con el cuerpo atravesado por flechas. Belleza y muerte: el paroxismo de la sensualidad, tanto en Oriente como en Occidente. Casi todas las grandes historias de amor de ambas culturas unen a Eros y a Tánatos como pulsiones profundas del ser humano: Tristán e Iseo, Romeo y Julieta, Calixto y

---

* Hay numerosos cuadros sobre el martirio de san Sebastián, dado que el tema servía para estudiar el desnudo masculino. Además del de Tiziano, Mantegna y Pallaiolo son autores de sendos sebastianes, de fama universal. Georgetti esculpió una estremecedora imagen en la catacumba de san Sebastián. Hay una tabla flamenca del siglo XVI, *San Sebastián*, en el retablo lateral de la iglesia de Santoña (Santander). El tema ha sido retomado en la segunda mitad de nuestro siglo como mito de la estética *gay*.

Fotograma de *Sebastianne*, dirigida por Derek Harman (Tele-Películas).

Melibea, los amantes de Teruel, la pareja de amantes japoneses de la famosa película de Oshima, *El imperio de los sentidos,* o los atormentados personajes que interpretaron Marlon Brando y Maria Schneider en la película de Bertolucci *El último tango en París.* Los antiguos libros hindúes sobre el arte de amar recomendaban, hace milenios, rodear el cuello con las manos, durante el coito, en actitud de estrangulamiento, para obtener mayor placer sexual. Sigmund Freud, en el prólogo a su *Teoría sexual,* admite que la intensidad del placer orgásmico sólo puede ser comparada a una especie de «pequeña muerte». No es extraño, pues, que el éxtasis final de san Sebastián se haya convertido en la imagen emblemática del amor para muchos homosexuales: el placer extremo, el límite del placer linda casi siempre con la muerte, de ahí que unos huyan de esas experiencias extremecedoras, y de ahí, también, que otros las busquen ansiosamente.

Pero si estas consideraciones elementales pueden aplicarse en general al erotismo, sea cual sea su manifestación, es indudable que en la escena de san Sebastián herido por las flechas hay algunos elementos específicos que la constituyen como escena de seducción clave para ciertos *gays.* Los emblemas sadomasoquistas son claros: en ninguna de las representaciones del martirio faltan las delicadas heridas en el cuerpo del bello capitán, como nunca faltan las flechas, cuyo simbolismo fálico es obvio. Como se trata, por lo demás, de una representación del éxtasis final de san Sebastián, la violencia y la belleza se juntan, se aúnan. ¿No es ésta, acaso, la fórmula que persiguen muchos artistas y numerosos homosexuales? Belleza y violencia: de su compenetración surge el éxtasis... y luego, claro está, la muerte. Esto no debe escandalizar a nadie, porque no fueron los *gays* ni mucho menos, quienes descubrieron la belleza de la violencia y la belleza de la muerte: está presente en la mayor parte del arte universal. La violencia, por lo demás, sola, aislada, sin la compañía de la belleza, está profundamente arraigada en la vida cotidiana y cada vez resulta más difícil desligarse de ella: penetra a través de las series de televisión, de las noticias de los diarios, del comportamiento de nuestros vecinos, de los ruidos de la gran urbe, de la agresividad de la publicidad, etc. Pero se trata de una violencia torpe, fea, vulgar; su fascinación aumenta considerablemente cuando se mezcla con la belleza aunque el precio (y el arte siempre lo ha advertido) es la muerte.

Los componentes sadomasoquistas del martirio de san Sebastián no por obvios son menos significativos. Es muy cierto que una parte importante del movimiento *gay* en el mundo adoptó una parafernalia y unos ritos extremadamente sádicos. En los clubs privados y en los *pubs* de moda (especialmente en San Francisco y Nueva York), sobre todo en la década comprendida entre 1970 y 1980, la ropa, la decoración e incluso el lenguaje eran de estilo sadomasoquista. Cadenas de hierro, látigos, fustas con pinchos, clavos, gruesos collares de acero, botas altas, emblemas militares, ganchos, cilicios, tangas atigrados, etc., ponían en juego de manera sobreactuada, muchas veces, los términos de la relación Amo-esclavo. Todavía hoy, en la mayoría de las revistas especializadas, muchas demandas se establecen en términos Amo-esclavo, a pesar de que el sida ha obligado a tomar precauciones. (Lo mismo puede decirse, sin embargo, de las relaciones heterosexuales; quien lea, por curiosidad o por necesidad, los avisos clasificados de servicios sexuales en las páginas de los periódicos de mayor tirada en España, encontrará muchas ofertas de Amas, especializadas en torturas y castigos, y otras de esclavas, que ofrecen una sumisión completa.)

El infierno de la lujuria

No es éste el lugar para analizar con amplitud y detalle la pulsión sadomasoquista; alcanza con recordar que en sus últimos ensayos, Freud, luego de muchos años de investigación, la encuentra tan generalizada en el mundo (en sus formas más primarias o más sofisticadas) que piensa que forma parte del material instintivo con que el animal humano viene provisto al nacer. Y Michel Foucault, uno de los filósofos más importantes de este siglo, que dedicó buena parte de sus trabajos a contar la *Historia de la sexualidad**, reconoce que violencia y sexualidad han estado presentes en la mayor parte de las manifestaciones de la humanidad. (Al parecer, sólo el lesbianismo rechaza, por lo menos ideológicamente, cualquier asociación entre erotismo y violencia. En la práctica, por lo demás, no hay ningún movimiento lesbiano que asuma la parafernalia sadomasoquista ni su estética. Por el contrario, se han caracterizado por rechazar cualquier escenificación que ponga en juego ese imaginario y lo han denunciado como patriarcal y fascistoide. Creo que las razones de esta actitud hay que buscarlas en una concepción diferente del amor que preconiza el lesbianismo, según la cual la sexualidad es una manifestación de la persona, y no un aspecto hipertrofiado y separado.)

---

* Fondo Económico de Cultura, México, 1978: Michel Foucault murió de sida en 1987. Era adicto al sadomasoquismo y solía estar acompañado por una maleta llena de cadenas y grilletes, que pesaba cerca de tres kilos. Se atribuye a la conocida psicoanalista Julia Kristeva haber comentado que era una muestra de sabiduría conocer exactamente el peso de su deseo.

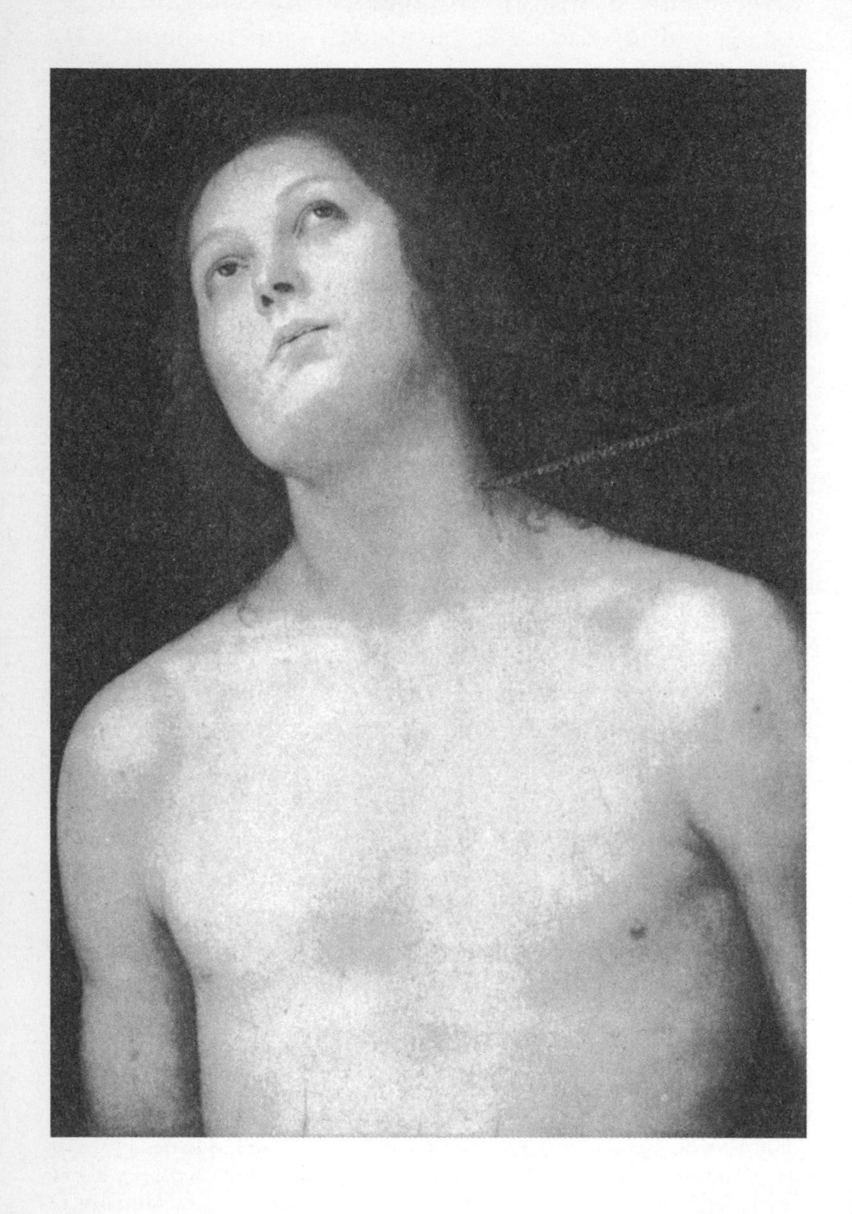

Perugino, *San Sebastián,* Museo del Ermitage, Leningrado.

La definición más elemental del sadismo es gozar con el dolor que se causa. En sus formas más sofisticadas, la pulsión sádica es curiosidad (aun la científica), deseo de dominio y lo que los periodistas suelen calificar como «el erotismo del poder». Ahora bien, una parafernalia sádica o una escenificación manifiesta de símbolos sádicos no implica, necesariamente, causar dolor, ni un goce lindante con el sacrificio. Es muy importante realizar esta aclaración, porque muchas veces la parafernalia *gay* que se emplea como «reclamo» amoroso es sólo eso: una manera imaginaria de realizar una fantasía, o un estímulo para aumentar el goce, o las expectativas de goce, y de ninguna manera una práctica sadomasoquista. Tiene una función fantástica, pues, mucho más que real. Dicho de otro modo: es un juego ritual, una escenificación erótica; el «como si» de los juegos infantiles. Los elementos de esa parafernalia cumplen la función de estimular un imaginario perverso, pero se detienen en esa capacidad de apelar a un inconsciente donde sí la violencia tuvo que ver con la sexualidad.

En este agitado y belicoso siglo XX, en cambio, caracterizado por la tortura, la persecución y las guerras, las instancias más sádicas tuvieron lugar en campos de concentración, cuarteles, «infiernos» y celdas de tortura, donde —según los testigos— al mismo tiempo que se desmembraba a alguien, se le amputaba un brazo, se le violaba, se le colgaba de ganchos y se le sometía al potro, los torturadores experimentaban los orgasmos más intensos de su vida.

Una de las reflexiones más serias y estremecedoras que se han hecho acerca de las relaciones entre el poder y el sexo, o sea, el sadomasoquismo, es la película de Pier Paolo Pasolini *Saló o los 120 días de Sodoma*. A partir de los sucesos históricos ocurridos en la República de Saló, a fines de la II Guerra Mundial, Pasolini descubre el insoportable infierno de la lujuria del poder cebada sobre la humillación sexual de las víctimas, en este caso, jóvenes bellísimos de ambos sexos.

La película, de casi insoportable visión (pocos espectadores aguantaron hasta el final), fue prohibida en muchos países, aunque tiempo después pudo proyectarse libremente. Como siniestra confirmación de sus propias meditaciones en torno al poder y a la violencia sexual, Pasolini moriría, al poco tiempo, asesinado por un chapero.

Menos conocida, pero igualmente escalofriante, es la crónica de Arturo Bonasso *Recuerdo de la muerte,* publicada en su exilio de México por el autor, un prisionero político de la dictadura militar argentina. El libro, desgarrado documento personal, narra las demoníacas y demenciales sesiones de sexo y tortura que ocurrieron en ese país, hipérbole de la psicosis perversa al servicio de la política y del orgasmo.

CAPITULO SIETE

Una fantasía de absoluto: Eros en el templo

Las «tentaciones de la carne»

Los Evangelios narran el tormento de Jesús: su juicio, su condena, los padecimientos que sufrió arrastrando la pesada cruz, la crucifixión y la muerte. A estos sucesos se los conoce con el nombre de La Pasión, y se evocan todos los años en Semana Santa. La designación encierra todos los hechos y los sentimientos puestos en juego en la tragedia: el amor de Jesús por el género humano, que lo conduce al sacrificio; el odio de sus enemigos; la voluntad de redención; la compasión de sus fieles; la soledad de la víctima y la esperanza en el Paraíso.

Más allá de su sentido religioso, este episodio permite comprender y analizar el mecanismo psicológico de cualquier pasión, sea cual sea su objeto; la pasión es totalizadora y exclusiva: no admite otras devociones; es tiránica, esclavizadora y absorbente. Si cuando experimentamos una pasión perdemos la libertad, la facultad de razonar, nuestro autodominio y nuestra independencia, podríamos preguntarnos en nombre de qué hacemos tantas delegaciones; hay una única respuesta: para amar en sentido absoluto una idea, una religión, a un hombre o una mujer que se convierten en nuestros dioses particulares y que nos exigen obediencia, sumisión, adoración.

Entre la fe del místico y la pasión de un hombre por el juego, de una mujer por su amante, del adicto a la droga o del militante a la causa ideológica, la diferencia es de objeto: es posible amar a un dios (Jehová o Alá, por ejemplo) o se pueden amar dioses particulares, objetos que elevamos a esa categoría pero que nos subyugan de la misma manera. Hasta el final de la Edad Media, el absoluto era la Iglesia, e incluso el arte se sometía a ella; desde entonces, con la progresión del ateísmo, los dioses se han multiplicado, pero la pasión es la misma: el dinero, el poder, la gloria, Elvis Presley o Marilyn Monroe. Podríamos decir que la pasión del místico y la pasión amorosa no se diferencian más que en el nombre del dios o de la diosa, pero que su etiología es la misma. El hecho de que las grandes figuras del misticismo cristiano (santa Teresa de Jesús, san Juan de la Cruz, Beato Juan de Ávila, etc.) hayan luchado fundamentalmente contra el instinto sexual, contra las llamadas «tentaciones de la carne», es muy revelador: de todas las pasiones posibles de experimentar, la sexual era la más proclive a rivalizar con el amor a Dios.

Para los místicos, sólo la divinidad debe estar «libidinizada»; de ahí que múltiples plegarias y muchos textos religiosos estén cargados de sensualidad. De san Juan de la Cruz, *Cántico espiritual,* recordemos:

Descubre tu presencia
y máteme tu vista y hermosura;
mira que la dolencia
de amor, que no se cura
sino con la presencia y la figura.

¡Oh cristalina fuente
si en ésos tus semblantes plateados
formases de repente
los ojos deseados
que tengo mis entrañas dibujados!

Del mismo libro, el poema «Oh llama de amor viva»:

Oh llama de amor viva,
que tiernamente hieres
de mi alma en el más profundo centro
(...) ¡Oh cauterio suave!
¡Oh regalada llaga!
¡Oh mano blanda! ¡Oh toque delicado!

Más allá de la exégesis teológica que el mismo san Juan hace para justificar estos versos, el lector puede identificarse con el estremecimiento erótico que confiesan. El carácter ambivalente del amor humano (dolor y placer, ansiedad y exaltación, angustia y éxtasis) se expresa en esas metáforas que hablan de la herida tierna, de la llaga placentera. La enajenación amorosa, erótica, alcanza con santa Teresa de Jesús una de las cimas líricas más altas de todos los tiempos. En el poema «Mi amado para mí» dice:

Ya toda me entregué y di.
Y de tal suerte he trocado
Que mi Amado es para mí
Y yo soy para mi Amado.
Cuando el dulce Cazador
Me tiró y dejó herida
En los brazos del amor
Mi alma quedó rendida

Y cobrando nueva vida
De tal manera he trocado
Que mi Amado es para mí
Y yo soy para mi Amado.
Hirióme con una flecha
Enherbolada de amor
Y mi alma quedó hecha
Una con su Criador;
Yo ya no quiero otro amor
Pues a mi Dios me he entregado
Y mi Amado es para mí
Y yo soy para mi Amado.

Pocos poemas en la literatura universal expresan como éste el erotismo de la mujer que se siente poseída; el símbolo del cazador que hiere con su flecha a la doncella es comparable al de san Sebastián, antes citado. El sentido de estos versos es múltiple, porque si bien Eros fue representado como un querubín arquero, con su carcaj repleto, también es cierto que la flecha es un símbolo fálico. Por lo demás, en la cita de santa Teresa, las flechas están envenenadas; los venenos y la pasión son una antigua analogía, cuyas afinidades apuntó irónicamente Ambrose Bierce en su *Diccionario del diablo,* al definir la palabra *belladonna:* mujer hermosa y veneno faltal —dice el malhumorado escritor norteamericano—, prueba de la identidad de las lenguas. Más famoso aún es el «Muero porque no muero», de santa Teresa de Jesús:

Vivo sin vivir en mí
Y tan alta vida espero
Que muero porque no muero.
Vivo ya fuera de mí
Después que muero de amor,

Porque vivo en el Señor
Que me quiso para Sí.
Cuando el corazón le di
Puso en él este letrero:
Que muero porque no muero.

Una esclavitud tan intensa al Amo la han deseado muchos de los sádicos que tienen que recurrir a las agencias de servicios sexuales.

El carácter sagrado del fetiche

Para quien ama, siempre hay algo de *sagrado* en el objeto amado, algo irreductible, algo que no puede poseer y que lo aleja de esa *unión, transustanciación* o *comunión* total y absoluta que para los místicos sólo se podía alcanzar después de la muerte. Por eso en el acto del amor (el *faire l'amour* francés) hay siempre una pulsión de unión parcialmente defraudada, parcialmente fracasada: el *élan* (el impulso) erótico no encuentra jamás, plenamente, su finalidad; ésta siempre se escapa, huye; los poetas más sensitivos descubrieron esta decepción (Ovidio, en su *Arte de amar,* dice: «Después del orgasmo viene la melancolía»), pero también los amantes anónimos de todas las épocas. Esta «inabordabilidad» definitiva del objeto amado, esta imposibilidad (innombrable, por lo demás), confiere un carácter sagrado al objeto (Dios es ausencia, Dios no está, se escapa aun de aquellas formas materiales —la hostia, el vino consagrado).

Posiblemente, un oscuro presentimiento del carácter divinizado del objeto amado se encuentra en el fetichismo, y todos los amantes son más o menos fetichistas. Los primitivos dioses eran convocados o exorcizados a través de fetiches. El fetiche tiene siempre carácter sagrado, ya se trate del becerro de oro bíblico o de las vacas de la India. El fetichismo erótico encierra múltiples afinidades con el fetichismo religioso. Para el amante fetichista, una parte del cuerpo amado, una prenda o un objeto se transforma en la representación sagrada del todo: el pie, el zapato de tacón, las bragas negras, el sujetador de encaje, la corbata, las medias o los pendientes. Hay una constante curiosa en el fetichismo, que lo emparenta a lo religioso: debe tratarse de un objeto único. Así, en el caso del pie, siempre es uno, y no el otro; del mismo modo, si la mujer amada luce dos pendientes en la oreja, seguramente no se convertirán en fetiche, pero si luce uno solo, singular, único, éste sí puede transformarse en objeto de culto. Porque el fetichismo ama lo exclusivo, lo singular (no pueden adorarse dos dioses al mismo tiempo). A veces, se trata de una prenda especialmente erotizada; Goethe hace exclamar a Fausto: «¡Dadme un pañuelo de su pecho o una liga que presione su rodilla!» En otros casos, se trata de una parte del cuerpo que adquiere el valor de fetiche: el pie es un antiquísimo símbolo sexual que aparece muy tempranamente en el mito (por extensión, la sandalia o los zapatos juegan el mismo papel). Freud señala, al respecto, que la cabeza tiene el valor simbólico del falo y que posiblemente ése es el origen de la guillotina: cortar la cabeza del reo era castrar a la víctima, humillarla y matarla. Del mismo modo, el gesto de quitarse el sombrero ante la persona conocida o amiga, representaba reconocer al otro como un igual.

El fetichismo que rodea a los cabellos es muy antiguo; tanto en el caso de los hombres como en el de las mujeres, representa el poder sexual, la energía, la vitalidad, la fuerza. En la Biblia, Dalila le corta la

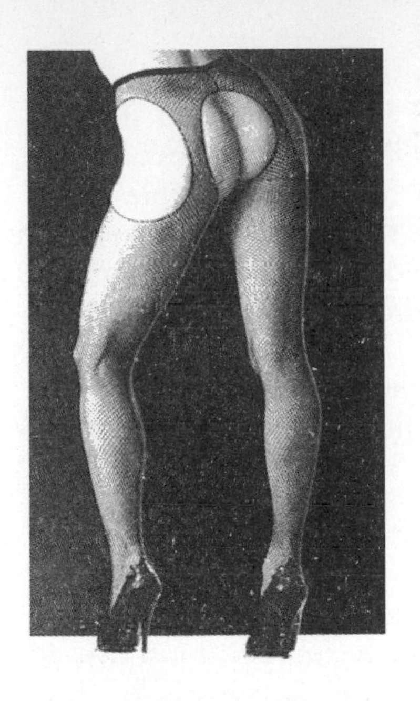
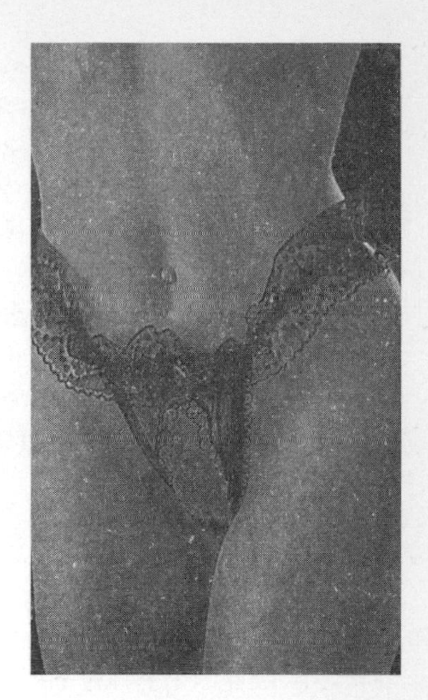

cabellera a Sansón para despojarlo de su fuerza (para castrarlo), y el castigo a las mujeres que colaboraron con los nazis, durante la II Guerra Mundial, fue raparlas. Todavía hoy, «rapar» a alguien es someterlo, dominarlo, castrarlo.

Pero en el fetichismo amoroso hay algo más que reivindica el carácter sagrado del amor: la prenda y el objeto convertidos en fetiche no sólo son objetos de culto; también simbolizan una manera de poseer aquello que siempre huirá de nuestro deseo de comunión, de unidad. Amar es reconocer nuestra separación del otro, nuestra inevitable alteridad: sólo desde la diferencia, desde esa escisión, se puede concebir el deseo de juntar lo que está separado, de reunir los opuestos. Y *hacer el amor* es una instancia quizás imposible, un esfuerzo temporal por reconstituir una fisura insondable, esa separación original (de la divinidad o de la madre, según la interpretación religiosa o psicoanalítica). Ahora bien, ya que el otro es imposeíble en su alteridad, el fetiche, que lo simboliza, puede aproximarnos un poco a ese otro yo inalcanzable del amado. Por eso el fetichista casi siempre se siente un ladrón y actúa a escondidas: ha conseguido robarle algo al ser amado, y ése es su secreto, aunque sea, también, una confesión de impotencia (si no te tengo, por lo menos tengo tus ligas).

Las diosas de las orgías

En casi todas las religiones politeístas primitivas, la religión y la sexualidad estaban estrechamente emparentadas; los cultos, los ritos, las fiestas y los sacrificios, fuera cual fuera la comunidad, concernían fundamentalmente a dos asuntos: la reproducción y la muerte. El deseo de supervivencia frente a las amenazas externas —pueblos enemigos, animales, pestes— y frente a las disensiones internas —luchas por el poder, reparto de riquezas— exigía alejar la muerte todo lo posible y asegurar la descendencia a través de la reproducción. De esta necesidad surgen las primeras prohibiciones o interdictos sexuales y sociales que llegan hasta nuestros días. (No otra es la preocupación de las sociedades contemporáneas, a pesar de los aparentes cambios de la revolución industrial y tecnológica: evitar la muerte, asegurar la descendencia.) Magia, deseo y reproducción estaban estrechamente ligados, aunque las interdicciones eran menores que en nuestros días. La religión siempre se ha ocupado de la vida erótica de sus fieles; seguramente la temprana conciencia de que la pulsión sexual es una fuerza que puede conducir al caos social y a la desintegración de los clanes, castas y centros de poder, hizo que los magos y los sacerdotes quisieran regularla, controlarla, y apelaron a las prohibiciones para ordenar de alguna manera esa energía explosiva.

Las dos grandes civilizaciones de la antigüedad, Egipto y Mesopotamia, tuvieron Grandes Diosas con sus festividades, rituales, sacrificios y cultos orgiásticos, andróginos y ginolátricos, los cuales se extendieron por todo el Mediterráneo occidental. Se puede afirmar de manera casi general que en aquellas civilizaciones antiguas donde existió el culto a las Grandes Diosas, la libertad sexual y erótica era mucho mayor que en aquellas posteriores, donde la figura mítica fue masculina. Posiblemente la explicación se deba a que las civilizaciones presididas por Grandes Diosas no fueron patriarcales, y las mujeres estaban en un plano de igualdad con los hombres (como ocurrió con las culturas celtas, por ejemplo). Históricamente, al predominio de las religiones con un solo dios masculino corresponden formas de organización social muy jerarquizadas, autoritarias y con una pronunciada esclavitud de la mujer, considerada objeto de cambio, como el ganado, o botín de guerra, como el oro o los cueros.

Uno de los cultos femeninos más excitantes fue el de Cibeles, la diosa madre de los frigios, sólo comparable, en cuanto furor orgiástico, al de Dionisos. Los celebrantes de Cibeles la adoraban en ceremonias báquicas, embriagándose con vino, utilizando máscaras (a menudo de sexo intercambiado), con inhalación de hierbas alucinógenas, danzas frenéticas, gritos, cantos y ritos de sacrificio de animales, cuya carne se devoraba aún caliente. Los coribantes de Cibeles se autoflagelaban y se castraban para servir mejor a la diosa (del mismo modo que los dioses varones exigían la virginidad de muchas jóvenes, como voto de adoración). Lo importante es señalar que las Grandes Diosas disponían libremente de su sexualidad. No estaban regidas por ley alguna. Las más antiguas, como Inanna, sumeria, y la Ishtar babilónica, practicaban la prostitución sagrada. Conviene recordar aquí que la misma libertad de que gozaban estas grandes diosas se concedía a sus fieles: podían acoplarse con hombres, mujeres o animales, y en sus ritos el sadomasoquismo era habitual. Heliogábalo, el emperador adolescente, oriundo de Siria y celebrante de la diosa Cibeles, por ejemplo, deseaba ser mujer para asemejarse a la diosa; usaba ropas femeninas, tenía relaciones sexuales con hombres y mujeres, sin que esto pusiera en duda su carácter de sacerdote masculino de la diosa.

El triunfo y la universalización del cristianismo liquidó, en apariencia, todos los excesos de los cultos a las diosas de la promiscuidad, de las orgías y del sacrificio ritual; allí donde existía el culto a una Venus, el cristianismo colocó a una Virgen, dignificando los cultos y los rituales, aunque a veces, las celebraciones de la Semana Santa en Sevilla, por ejemplo, tengan una oscura reminiscencia de los antiguos cultos y festejos. (La naturaleza, la luz y el paisaje de esa zona de Andalucía, donde los sentidos tienen tantas oportunidades para gozar, hicieron decir a santa Teresa de Jesús: «Bastante tienen los sevillanos con no pecar.»)

La religión y la industria (la productividad) son las encargadas, en cualquier sociedad, de oponer los interdictos, las prohibiciones a la actividad sexual, a la energía libidinal que es ciega, violenta y desordenada. (El Marqués de Sade propone una orgía permanente de hombres, mujeres, niños, animales y objetos como manera de destruir el Estado y la Iglesia. Para él, el sexo es revolucionario —vivido de manera indiferenciada, en mezcolanza— justamente porque ataca los principios que sostienen la concepción clásica del poder político: la propiedad privada —incluido el matrimonio, como forma de poseer a la mujer y a los hijos— y su orgía perpetua conducirá a la destrucción de esos grandes enemigos, el Estado y la Iglesia. Más allá de cualquier delirio, hay que reconocer en Sade la clara percepción de que la fuerza del deseo puede cambiar el mundo y de que las instituciones tradicionales que los hombres se han dado históricamente para organizarse han domesticado fundamentalmente a Eros, ese querubín cuyos flechazos envenenados pueden destruir la poderosa arquitectura del Estado patriarcal.)

Sin embargo, en este antiguo pleito entre la religión y la industria, con sus interdictos sexuales, y cierto «regreso a la naturaleza» (al caos del Marqués de Sade o a un universo psicótico, «animal», en tanto libre) el camino intermedio es el erotismo. Bataille lo ha expresado con absoluta claridad al decir: «La transgresión difiere de la vuelta a la naturaleza: levanta el interdicto sin suprimirlo.» Ese es el resorte del erotismo: la transgresión. La ambigüedad intrínseca del interdicto —religioso o social— es que, al vedar ciertos objetos al deseo —madre, padre, hermanos, personas del mismo sexo—, los aleja de nosotros, pero a la vez refuerza su deseo, por lo cual han de regresar, deben reaparecer, disfrazados de otra cosa (en cierto sentido el psicoanálisis es una tarea de desenvestidura: tiene que levantar esas máscaras bajo las cuales el deseo reprimido ha podido entrar en nuestra conciencia).

En la Antigüedad, las orgías rituales, vinculadas a fiestas fijas y de origen sagrado, proponían un período de «transgresión» de las normas donde nada se oponía a la libertad del impulso sexual. La ebriedad, la promiscuidad, el éxtasis erótico y el religioso se mezclaban. Era una fuerza instintiva, un derroche que buscaba la negación de todo límite. Posiblemente había una oscura fantasía de mezcolanza: vísceras de animales muertos, de víctimas humanas, sangre menstrual y vino, todo tipo de secreciones orgánicas, de productos de la tierra, sin discriminación. Las mácaras con las que cubrían el rostro no sólo no se correspondían al sexo genital real, sino que evocaban a los animales, a los muertos o a los dioses; los adornos combinaban las líneas geométricas con las plumas y los aros; todo tendía a disolver la identidad en la concupiscencia, en un magma revuelto que evocaba conjuntamente el sexo, la vida y la muerte. (En las sociedades avanzadas en las que vivimos, estas tres instancias se han separado. Podríamos decir, en cierto sentido, que el grado de civilización de un grupo se mide justamente por la capacidad de separar, de disociar estas tres funciones: sexo-muerte-nacimiento, que en los animales están mucho más unidas y que en el principio de todas las cosas, posiblemente, eran difíciles de distinguir. Los antiguos partos, con su dolor y su riesgo, eran el símbolo de ese fenómeno de unión del amor, la vida y la muerte. Mientras la naturaleza no fue domesticada por el hombre, ofrecía casi siempre el espectáculo de la reproducción, el nacimiento y la muerte en confusión constante.)

Repito, es posible que en las antiguas orgías religiosas hubiera una representación simbólica del caos original, donde las formas no tenían precisión, los organismos no estaban separados los unos de los otros, y la vida y la muerte se alimentaban recíprocamente. Es verdad que en nuestros días seguimos alimentándonos de la misma manera, pero tenemos el buen gusto de no matar con nuestras propias manos aquello que comemos, o disfrazamos a las víctimas bajo tal cantidad de ornamentos que el acto de comernos un trozo de faisán no evoca nunca el acto de matarlo y desplumarlo. Dicho de otro modo: seguimos alimentándonos de la muerte, pero sin sangre, con las vísceras sabiamente disimuladas.

En las orgías rituales había un regreso deliberado a la animalidad primigenia, al desorden inicial, y también, bajo ese impulso de consustanciación de formas y de cuerpos, una evocación de la mítica unidad con los dioses, tempranamente perdida. (Es oportuno recordar que en casi todas las mitologías y religiones hubo un principio en que los hombres no estaban separados de los dioses. Esa mítica unidad de los orígenes, sin diferenciación, parece ser una suerte de fantasía de plenitud, de completud común a todo el género humano.) La civilización es un mecanismo de alejamiento cada vez mayor del animal que una vez fuimos, y esa animalidad está en el cuerpo. Allí donde primitivamente hubo una secreción, hemos inventado un producto sustitutivo y «civilizado». Por ejemplo: los francos y violentos olores del cuerpo, especialmente durante la juventud, ebria de hormonas, y que guiaban la búsqueda de objeto sexual, han sido sustituidos por los perfumes y los desodorantes (el reclamo publicitario de éstos, y sus nombres, intentan recuperar algo del antiguo impulso instintivo: lociones Sauvage, perfumes Aspid o Andros, etc., juegan con la ambigüedad de la llamada al inconsciente animal reprimido. Si algún porvenir tiene el erotismo es justamente ese lugar de fractura, de recuperación de las pulsiones más primitivas, ahora bajo la transformación industrial). Ocultar nuestro origen animal, visceral, fruto de la violencia de los órganos, de los estallidos de la sangre, es un mandamiento tan forzoso en nuestra civilización que llamamos «vergüenzas» o «partes pudendas» a los genitales, y muchas mujeres modernas y sofisticadas creen necesario ocultar el olor de su sexo con lociones desodorantes vaginales.

Es cierto: el animal huele, chupa, arranca, suele estar sucio, mata para comer y muere herido, enfermo o viejo. De este origen hemos huido vertiginosamente, y si no siempre esta huida fue eficaz para eliminar alguna de estas actividades (nos matamos entre nosotros continuamente, y no para comernos, en el sentido literal), lo cierto es que ha creado una especie de sentimiento de culpa cuando la animalidad se manifiesta. (El Informe Hite sobre la sexualidad femenina revelaba, hace más de diez años, que muchas mujeres sentían vergüenza del olor de su vagina o de su menstruación, por ejemplo *.)

Las orgías rituales, en cambio, eran un regreso festivo a la antigua confusión entre hombres y animales, entre hombres y dioses: fornicación bestializada o indistinta, mezcla de jugos de la tierra con secreciones del cuerpo, confusión entre las vísceras de los animales sacrificados y las de aquellos que se flagelaban o se castraban durante el culto. (El lenguaje popular conserva esas analogías al designar ciertas secreciones; «leche» por semen es una de ellas, y no es irrelevante que la felación sea una de las actividades más placenteras para los varones, especialmente cuando está acompañada por la ingestión del líquido seminal: transgrede un tabú de la civilización según el cual las secreciones son sucias, perniciosas y nocivas para la salud.)

---

* Plaza y Janés Editores, Barcelona, 1980.

Tres días para pecar libremente

Las necesidades impuestas por la productividad y el control de la sexualidad, energía vital desordenada, condujeron a la religión civilizadora, la cristiana, a perseguir y prohibir las orgías religiosas paganas, aunque, sabiamente, no las eliminaron completamente. (La Iglesia tiene el recurso de perdón para permitir un juego permanente entre la ley y la transgresión.) El Carnaval, una festividad que inicialmente duraba tres días y tres noches, es un ejemplo de esa tolerancia de la Iglesia, siempre y cuando sea ella quien controle su celebración. La Iglesia autorizaba durante estos tres días a pecar libremente para dar salida a los impulsos reprimidos, en vísperas de la tradicional Cuaresma, donde se prohibía la ingestión de carne tanto como la relación sexual. Primero el pecado, después la penitencia. (La lucha entre ambos impulsos fue simbolizada por el Arcipreste de Hita en el *Libro de buen amor*. En la obra, el autor narra, en verso, la batalla entre Don Carnal y Doña Cuaresma. El ejército de Don Carnal está representado por cerdos, pollos, gallos, gallinas, y el de Doña Cuaresma, por peces y verduras de la huerta. Vence Doña Cuaresma, y Don Carnal es encerrado en una jaula, pero consigue escapar y, desde entonces, reina jubilosamente la carne en este mundo.)

Por otra parte, la Iglesia no podía sustraerse por completo al poderoso influjo seductor de los ritos paganos; lo importante era darles otro sentido, pero sin desconocer que cantos, danzas, olores, luces, telas y colores seducían a los creyentes, todavía más por tratarse de rituales colectivos. El oropel de las iglesias, el esplendor de las ceremonias, el incienso, el olor violentamente dulzón de las azucenas, la cera derritiéndose, las teas encendidas, las dalmáticas bordadas eran elementos de un ritual que emocionaba y bañaba los sentidos. No es de extrañar, pues, que para los amantes ardientes, la iglesia, el templo, haya sido un espacio predilecto de fantasías eróticas, y lo sea aún hoy, en nuestros días.

Uno de los textos más interesantes sobre la pasión en su doble vertiente, la erótica y la sublimada, la religiosa, la constituyen las cartas de *Abelardo y Heloísa* *. Abelardo fue un joven inteligente y muy sensual; el estudio de la filosofía lo condujo a la teología, pero era pobre y tuvo que emplearse como preceptor de una familia rica en París. Heloísa, inteligente, de buena familia, bella y virgen, fue su discípula. Ambos se enamoraron, y a pesar de que Abelardo ya estaba integrado al orden monacal, sedujo a Heloísa. La fogosa escena de amor tuvo lugar... en la soledad de la iglesia, junto a la pila bautismal. Perseguido por el tío de Heloísa, que paga a tres bandidos para que lo castren, Abelardo abandona a Heloísa y huye. A partir de ese momento, se dedica exclusivamente a su carrera religiosa, ascendiendo rápidamente. Heloísa, tal como le ha ordenado Abelardo, toma los votos, pero dista mucho de ser una monja ejemplar. Cumple con todas sus obligaciones, pero dirige ardientes cartas de amor a Abelardo e intenta verlo a escondidas. En sus cartas le reprocha su debilidad, por haber huido, y le propone citas clandestinas para saciar sus apetitos. En todo momento se muestra audaz, inteligente y sincera: en su interior, la lujuria y la fe no combaten, sino que conviven. Abelardo no responde, pero cuando lo hace, por sus deberes como superior del monasterio, adopta

---

* El texto se publicó, traducido por mí, en una bellísima edición de José Olañeta, en 1985, que incluye la música religiosa compuesta por Abelardo.

un tono frío y distante, claramente sádico. Despojado ya de los furores de la carne, hace de su castidad una fuente de superación intelectual. Heloísa, en cambio, continúa reclamando placer.

Ley y trangresión, representados por el voto de castidad y las posibles ocasiones en que se ha burlado, forman parte importante de la imaginería popular en sus formas más groseras —el consabido chiste sobre curas o monjas— o en sus formas más complejas: folletines, novelas, películas y culebrones donde, con distinto grado de crueldad, de sadismo o de exaltación pasional, la sublimación del instinto sexual a través de la religión provoca lo contrario, el reforzamiento de lo prohibido. No es raro, por otra parte, que esta temática recurrente sea casi exclusiva de los países donde el catolicismo tuvo mayor implantación. Este tipo de fantasías aparece muchísimo menos en aquellos países laicos o allí donde la hegemonía del catolicismo fue menor.

Rituales de la escena amatoria

En nuestros días, el resurgimiento de algunos cultos satánicos o de sectas vagamente orientalistas asocia otra vez la religión al erotismo, especialmente por el carácter ritual de la actividad sexual. Las «misas negras» o «misas profanas», mezcla de diversas creencias mágicas anteriores al cristianismo, o combinadas con él, son un ramalazo de los cultos más primitivos, donde el *sacrificio* cruento es el clímax orgiástico colectivo (los objetos de sacrificio son muy variados: la mujer virgen, violada en una suerte de ceremonia iniciática; el «enemigo» o la «enemiga», representada por algún muñeco o un animal, cuyo cuerpo mutilado se ofrece a oscuras divinidades del mal; la sangre menstrual o el semen, a los que se atribuye poderes vivificantes. Como se trata de rituales orgiásticos, cuyo paroxismo es «la posesión», existe la misma libertad sexual, en cuanto a la elección de objeto, que encontramos en las fiestas dionisíacas).

En las sectas, que tienen pretensiones más filosóficas, la prostitución de las jóvenes o de los adolescentes varones se propone como una especie de «pansexualismo» liberador. El amor colectivo, indiscriminado, es el revestimiento ideológico de una actividad que, por lo demás, tiene una pequeña base económica.

Cabe preguntarse, más allá de estas descripciones muy superficiales del renacimiento del espíritu de grupo y de la celebración ritual que corresponden a una pequeña parte de la población mundial, si alguna forma de rito no es imprescindible en el amor. Muchos de los psicólogos y sexólogos modernos consideran que ciertos comportamientos rituales favorecen la vida erótica. Ahora bien, cuáles son y su capacidad de estímulo es algo que corresponde a la subjetividad de cada amante. Hay ritos modernos extremadamente simples e ingenuos, como la invitación a una copa en el apartamento propio, que el cine de Hollywood difundió por doquier. Puede ser champagne, whisky o vino, según las regiones. El cigarrillo después del orgasmo, más que una costumbre, parece formar parte de toda una simbología que rodea al acto de fumar y de dar o pedir fuego (el carácter fálico del cigarrillo ha sido observado desde antiguo, y el hecho de que las mujeres comenzaran a fumar fue un desafío a su papel tradicionalmente pasivo).

Entre las actividades y objetos rituales de la escena amatoria cuyo sentido se vuelve simbólico, habría que anotar: a) La luz. Tradicionalmente, el amor se hacía a oscuras, porque se trataba de un acto pecaminoso, rodeado de los pudores que envolvían a los cuerpos. Encender la luz para hacer el amor tuvo, al principio, un carácter de transgresión del tabú. Generalizado como ritual, hubo que someterlo a ciertas variantes subjetivas: penumbra, luz baja, luz filtrada por tamices o velos, lámparas de color, etc. Al fin, apagar la luz para hacer el amor vuelve a ser una transgresión que puede estimular a veces los sentidos adormecidos, porque evoca una antigua fuerza del deseo primitivo. b) Hay un vasto repertorio de objetos personales susceptibles de formar parte de un ritual subjetivo: cadenas, relojes, anillos, corbatas, ligas, medias, zapatos, sandalias, etc. c) La música. Aunque para los melómanos posiblemente existan sólo dos grandes orgasmos musicales —*El Bolero* de Ravel y el Aria de locura, de amor y de muerte de Isolda, de la ópera *Tristán e Isolda,* de Wagner—, cada amante, y cada pareja suele ritualizar una melodía que para ellos expresa su temperatura emocional, su ritmo de deseo, la pasión, etc. d) El código del lenguaje. A pesar de que la lengua es un bien común, un artefacto comunitario, los hablantes suelen ritualizar algunas expresiones, algunas frases de especial color o capaces de evocar en ellos una tensión erótica particular. En este sentido, conviene recordar que el lenguaje no es aséptico y que está ligado a nuestras emociones más íntimas. A nadie sorprende ya que un intelectual utilice, para estimularse eróticamente, un lenguaje procaz, o que una ama de casa, en cambio, sienta un estremecimiento erótico al escuchar una sofisticada metáfora corporal en boca de su amante.

Las cortesanas antiguas tenían fama de elaborar exquisitos rituales para sus clientes. Porque el erotismo necesita ocio, tiempo e imaginación, algo que falta casi siempre a los fatigados habitantes en las ciudades posindustriales.

CAPITULO OCHO

El poder en la cama: fantasías de violación

Un ramalazo de conductas primitivas

Tajantemente: ninguna mujer desea ser violada, y la violación es un miedo real de cualquier mujer consciente. Todos los informes sobre sexualidad femenina, y la experiencia de psicólogos, psiquiatras y psicoanalistas, reconocen que el intento de violación es un trauma tan profundo en la vida psíquica de cualquier mujer que puede enfermarla para el resto de sus días, imposibilitándola incluso para una vida erótica satisfactoria a partir de ese momento.

Para complicar más las cosas, la fantasía de violación subyace en muchos hombres y puede guiar su conducta sexual no sólo con una mujer a la que sorprende en un callejón oscuro, sino con sus hijas, las amigas de sus hijas, sus sobrinas o las amigas de su esposa.

Se trata, sin duda, de un ramalazo de conductas arcaicas, primitivas y animales, cuya huella inmemorial persiste en los cerebros de los varones menos educados. (En los machos más civilizados puede elaborarse en juegos sadomasoquistas exentos de las consecuencias desastrosas de la violación real.)

Biólogos, antropólogos, psiquiatras, sociólogos y muchos especialistas han intentado explicar de diversas maneras este comportamiento atávico masculino, pero hasta el momento el hecho sigue ocurriendo, desentendiéndose de las posibles causas.

La conducta sexual de los machos en la mayor parte de las especies es más agresiva que la de las hembras, pero no resulta un argumento definitivo al considerar este tema. Desde el punto de vista genético, la pareja de cromosomas n.º 23, que es la de diferenciación sexual, se simboliza XX en las mujeres y XY en los hombres. Excepcionalmente, en una proporción muy pequeña, hay individuos que tienen un cromosoma de más; su fórmula es XXY. Luego de realizar estudios y experimentos en el penal de Sin-Sing, uno de los más violentos de Norteamérica, un biólogo llegó a la conclusión de que el cromosoma Y era el de la violencia, ya que entre los presos de esa cárcel había una proporción de XXY mucho más alta que entre los hombres que no cometían delitos. Ahora bien, aún aceptando esta teoría (que ha sido muy criticada posteriormente) de la mayor violencia (o fuerza) congénita de los hombres frente a las mujeres, la violación sexual parece mucho más ligada a componentes de frustración, sadismo y deseo de dominación que a causas de tipo biológico. Una de las pruebas determinantes de esto es que, a mayor nivel cultural del hombre, menos posibilidades tiene de constituirse en un violador.

Sin duda, el poder y el dominio sobre las mujeres (consideradas a veces como un objeto, al mismo nivel que las vacas, el dinero o los trofeos de guerra) fue una etapa muy larga en la historia de la humanidad; y el uso y abuso de las mujeres, un privilegio al que es difícil renunciar, como a cualquier otro. La equipara-

Grabado anónimo (s. XVIII). Una de las ilustraciones de la edición original de *La nueva Justina, seguida de la historia de Julieta, su hermana* del marqués de Sade.

ción legal de hombres y mujeres, el reconocimiento de que son sujetos de derecho, igual que el hombre, constituye un avance muy grande en la civilización, pero ha dejado a muchos hombres descontentos. Casi todas las organizaciones que los hombres se han dado en el mundo responden a jerarquías, grados, es decir, a la división del poder, ya se trate de la religión, la política, el ejército o las asociaciones deportivas. En la relación hombre-mujer no tenía por qué ser diferente. Y cuando las formas de esta relación han evolucionado, reconociendo ciertos derechos a la mujer, no todos los hombres lo han aceptado mansamente.

«Mi cuerpo me pertenece», en boca de una mujer, podía ser la expresión de un estatuto escandaloso. Muchísimos hombres, a través de cualquier recurso (noviazgo, matrimonio, relaciones laborales, paternidad, etc.) han actuado como si el cuerpo femenino fuera una tierra baldía, de la que tenían que apropiarse, antes que otros.

De ahí que aun en individuos completamente civilizados, la nostalgia del poder perdido actúe como una fantasía de dominación en sus relaciones con las mujeres. El oscuro impulso se descubre en un simple análisis del lenguaje. Un hombre que ha practicado el coito con una mujer, con pleno consentimiento de la parte femenina, puede contarlo de la siguiente manera: «La he follado», en lugar de decir, por ejemplo: «Hemos follado juntos.» En el primer caso, la expresión deja traslucir que el acto de fornicar ha sido una especie de agravio, de humillación, de injuria, de ofensa cometida contra la parte femenina, del cual, además, el hombre se vanagloria. *Imponer* el acto sexual se convierte, de este modo, en una demostración de superioridad, en un ejercicio de la agresividad, como si a través del coito se confirmara la inferioridad de la mujer que lo ha padecido. El valor añadido de un acto sexual de esta especie es haber triunfado sobre la mujer.

Posiblemente algo de esto siempre hay en el fondo de todas las relaciones humanas, ya que en ellas está en juego el narcisismo (demostrar superioridad, obtener admiración o simplemente vencer). Por lo demás, las relaciones entre hombres y mujeres se han calificado como «guerra de sexos». Ahora bien, en una guerra siempre hay vencedores y vencidos, y siempre hay algo que ganar. Humillar a la mujer parece que fue, en muchas ocasiones, la finalidad última de la violación, mucho más que obtener el placer sexual. (Dicho de otra forma, humillar se convierte en el máximo placer libidinal.)

Del mismo modo que muchos animales fijan simbólicamente su territorio orinando sobre él, para que permanezcan sus huellas, «follar a una mujer» ha sido una especie de demostración de dominio, de que aquel cuerpo le pertenece. El empleo de la violencia como un signo de posesión se remonta a los comportamientos más primitivos y primarios de los hombres: «Esto es mío» se señalizó siempre a través de la violencia: invasión de territorios, esclavitud, marcar a los animales, humillar a los prisioneros, etc. La sumisión, por otra parte, ha sido la conducta de los perdedores o vencidos. En este contexto, el masoquismo femenino, tan extendido, mucho más que una característica diferencial del psiquismo de la mujer ha sido una consecuencia histórica, social y cultural. Sin embargo, en el plano simbólico (que es el de las fantasías asociadas a ciertos actos o a determinadas pulsiones) muchas veces la relación heterosexual escenifica, representa algo de esa antigua violencia asociada a la sexualidad.

Las fantasías de violación no son exclusivamente masculinas; también las experimentan algunas mujeres. En este caso, hay que recordar la definición de Freud: las fantasías son todos aquellos materiales no destinados a convertirse en actos. Es decir: una mujer que fantasea con ser violada por su amante, *no* desea en realidad ser violada por él, ni por ningún hombre, sino que se siente estimulada por un juego que represente o evoque esa situación. Alex Comfort, el sexólogo norteamericano de mayor difusión, cuyo libro *The Joy of Sex* se convirtió en una especie de manual obligado durante más de veinte años*, dice al respecto: «El juego de la violación no se practica para forzar a la mujer a algo que no desea, sino para estimular el orgasmo.» Nos encontramos, pues, en un caso muy representativo de lo que hemos llamado «como si».

Las mujeres que tienen fantasías de violación simulan la resistencia, o la falta de deseo, justamente para aumentarlo en ellas y en su pareja. Se trata de introducir la noción de juego, la instancia lúdica, tan necesaria en una vida erótica no rutinaria, creativa y variada.

Esclavitud, amo-ama, esclavo-esclava

En cualquier manual sobre la vida erótica, desde los más antiguos hasta los más modernos, la fantasía de esclavitud ocupa un lugar muy importante. Los anuncios de los diarios, de las revistas y de los vídeos pornográficos la representan de una manera casi caricaturesca, con profusión de parafernalia. Veamos un ejemplo cualquiera: *La Vanguardia,* de Barcelona, uno

---

* Editorial Grijalbo, Barcelona, 1981.

de los periódicos más antiguos y de mayor tirada de España, e insospechable de radicalismo político o social, anuncia en su edición del domingo 12 de agosto de 1990, en la sección de Clasificados, bajo el título de *Relaciones:* «Luis, todo en sadomaso. Luis, tu amo superdotado. Luis, con esclavo.» Más abajo, puede leerse el siguiente anuncio: «Ama, te hará gozar de la sumisión.» Otro: «Anuncio sólo para varones muy sumisos, con alma femenina. Se ofrece ama culta y soltera.» (No es un detalle nada despreciable que los varones sumisos sean asimilados al alma femenina, pero este aspecto lo analizaremos más adelante.) La pareja Amo-esclavo ofrece todas las variantes posibles: amo varón con esclava mujer, o ambos varones; ama mujer con esclavo varón o viceversa; y, además, la especialidad del espectáculo para *voyeurs* solitarios o en pareja: en el mismo ejemplar del diario, se lee la siguiente oferta: «Varón sumiso se ofrece a ama o pareja dominantes.» El funcionamiento psicológico de esta fantasía de esclavitud se remonta posiblemente a nuestro pasado más antiguo, cuando la agresividad y el sexo no estaban separados, sino mezclados. Algo de esto saben los políticos, porque los soldados norteamericanos enviados a Vietnam (y los que han sido embarcados hacia el Golfo Pérsico) fueron provistos, por las propias autoridades militares, de grandes cantidades de revistas pornográficas para estimular su ánimo y mejorar «la moral» del ejército. (Del otro lado, no hay que olvidar, los mahometanos que mueren en combate serán recompensados, según El Corán, con un paraíso lleno de huríes.)

Las relaciones de dominación en su vertiente erótica suelen exigir unas reglas muy fijas y una simbolización escénica barroca, recargada, justamente porque se trata de un simulacro, de una representación (no hay esclavitud verdadera, el libre albedrío existe para ambas personas, aunque psicológicamente es muy difícil saber si los roles aparentados pueden ser tan estrictos; es casi seguro que nunca se establece un reparto psicológico tan rígido como el físico).

En las sociedades civilizadas, donde se ha suprimido la esclavitud y la dominación, en las cuales, por otra parte, se tiende a la mayor igualdad entre los sexos, la esclavitud erótica es un juego que da salida a las tendencias, pulsiones y deseos reprimidos en nombre de la cultura y de la productividad. Ocurre como con

Viñetas correspondientes al comic «El marqués de Sade», con guión de El César y dibujos de Galiano, aparecido en la revista *El Víbora* n.º 88.

el Carnaval o el disfraz: estos juegos suspenden por un lapso todos esos contratos que respetamos para poder convivir, las pautas de conducta culturales y las obligaciones contraídas.

No es extraño, pues, que una mujer que no toleraría una orden destemplada de su jefe en una empresa goce haciendo de esclava de su amante, ni que un hombre tímido, poco competitivo y callado, en sus noches de amor quiera el papel de amo dominante. Sería arriesgado y equívoco juzgarlo como una esquizofrenia; se trata, en cambio, de mecanismos psíquicos de compensación.

Se podría preguntar cuál es el límite entre el juego y la realidad o, dicho de otro modo, hasta dónde llega la ficción. Para intentar responderlo de una manera práctica y no teórica, me remitiré otra vez al ejemplo dado por Piaget en cuanto a los juegos imaginativos de los niños: el niño que monta un palo de escoba y juega a que es su caballo, se llevaría una gran sorpresa si el palo rebuznara. Es decir: *sabe,* en todo momento, cuál es la realidad y cuál la representación. Los juegos eróticos de Amo-esclavo tienen el mismo valor que las representaciones teatrales: los actores pueden ser excelentes, el público se identifica y emociona, pero una vez terminada la obra cada cual recupera su verdadera identidad. Del mismo modo, la mujer independiente, culta y eficaz a quien le gusta que su amante simule una violación, en ningún caso *desea* ser violada: el simulacro cumple la función de aumentar su excitación justamente porque no es verdad, justamente porque él sabe, y ella también, que cuenta con su asentimiento.

Los buenos amantes de todos los tiempos han estimulado los juegos eróticos, los simulacros, en el bien entendido de que el placer exige refinamiento e imaginación. Sólo los tontos creen que algunos juegos, como el de la esclavitud, son una creación de nuestra época. En los burdeles de Roma y en las mejores «casas de tolerancia» francesas del siglo pasado, existían habitaciones especiales llenas de objetos y de imágenes que propiciaban las relaciones de esclavitud. Lechos con cuerdas e instrumentos apropiados para atar, esposas, grilletes, etc. (no reales, sino construidos a propósito para evitar el dolor o cualquier clase de accidente) servían para estimular la imaginación erótica de los amantes en las horas de ocio.

El placer es algo completamente subjetivo y no cuantificable, por lo cual es inútil intentar «aprender» recetas o métodos para gozar más. Ningún libro de técnicas sexuales (a menudo muy similares a los manuales de gimnasia y dotados de esa ingenuidad norteamericana que tanto confía en el aprendizaje, porque ignora la intuición y la revelación) ayudará a una mujer a perder su frigidez, ni hará mejor amante al palurdo que eyacula en diez minutos y luego se duerme. Es verdad que una adecuada estimulación física es mejor que una torpe, pero en las relaciones eróticas no se trata de dar masajes, sino de propiciar el estímulo psicológico, siempre subjetivo. A veces, un detalle de la vestimenta aparentemente insignificante puede crear una excitación más grande que un masaje. Y empleo a propósito la palabra «masaje», tan de moda en nuestros días, porque me parece una prueba evidente de la confusión que reina en materia erótica.

La cultura de manuales en que vivimos tiene una ingenua y frívola confianza en las técnicas. Hay técnicas para todo y, generalmente, superpuestas: para adelgazar, para evitar el infarto, para bajar el colesterol, para leer en diagonal, para invertir mejor el dinero, para practicar el ping-pong en la mesa de la cocina, para evitar los complejos de los hijos, para escribir *best-sellers* y para no envejecer. A pesar de ello, la realidad se resiste, y hay gente gorda que ha probado todos los métodos, no fumadores que mueren de infarto, neurosis, hijos infelices, matrimonios fracasados, hermosos libros que no son *best-sellers* y viejos encantadores.

Los manuales de erotismo y de sexualidad, necesarios como información, tienen el mismo defecto: separan el cuerpo de la psiquis, como si ambos fueran identidades independientes. Del mismo modo que algunos de esos libros proponen un régimen de gimnasia al cabo del cual la celulitis habría desaparecido, clasifican las posturas y las formas de la relación sexual como si el placer y el orgasmo fueran una mera cuestión de aprendizaje de posiciones. En ese sentido, son mucho más sabios los profesionales del sexo que se anuncian en el diario. Estos estimulan la imaginación, porque saben que el sexo pasa primero por la mente. En la relación sexual la satisfacción depende tanto de la habilidad física de los amantes como de esa química invisible, imperceptible e irracional que es el deseo, que se resiste a ser nombrado, que no puede ser reducido a explicaciones lógicas. El más experto de los amantes puede dejar indiferente a una mujer, y la frigidez de una mujer puede ser su mayor atractivo. Todo depende de las instancias interpersonales, complejas y por suerte inclasificables, sin las cuales no habría ni arte ni literatura *.

---

* En una famosa entrevista realizada por TV3 de Cataluña, Ama Eva, la patrona de uno de los locales de sadomasoquismo más antiguos y famosos de Barcelona, apareció ataviada con alguno de sus utensilios de trabajo. Cuando el entrevistador le preguntó cómo había llegado a ser ama, Eva sentenció: «Eso no se aprende. Ama, se nace.» De este modo,

Por lo demás, los juegos eróticos que aparecen en cualquier manual, entre los cuales el de esclavitud es uno de los más importantes, no son estimulantes para todo el mundo, ni siquiera para una persona a lo largo de toda su vida. Siempre será mucho más eficaz un juego no clasificado e inventado o descubierto por los amantes espontáneamente. (A menudo la tan famosa «experiencia» de un hombre y una mujer consiste en estar dotado de una gran intuición para descubrir las fantasías de su compañero o compañera, sin necesidad de que se les comuniquen verbalmente. Por el contrario, el amante o la amante con una sola fantasía, repetitiva, así sea la de esclavitud, puede volver monótona y neurótica una relación, tanto como la de aquellos que no tienen ninguna fantasía.) Otra cosa es analizar si la vida contemporánea, con sus exigencias de eficacia productiva, competencia, alta concentración en las ciudades, espacios contaminados y superpoblados, viviendas funcionales y agresividad ambiental (ruidos desagradables, detritos urbanos, hormigón y objetos en serie) estimula o degrada la fantasía. (El ocio de los parados no es la panacea estimuladora, por otra parte, ya que inhibe a los individuos y los deprime, al hacerlos sentirse involuntarios «excedentes humanos»; su ocio no es una elección, ni siquiera un bien estimado, sino una condena social.) Todo hace suponer que no. Hombres y mujeres atareados, cuya imaginación se gasta en conservar el empleo o en ascender, con problemas familiares, fatigados y con poco tiempo y espacio, difícilmente pueden tener una vida erótica rica en imaginación y fantasía. Ambas parecen excluidas de la vida matrimonial, que es el marco institucional de

---

demostró una extraordinaria sabiduría natural: el sadismo es una vocación, un instinto, no una profesión.

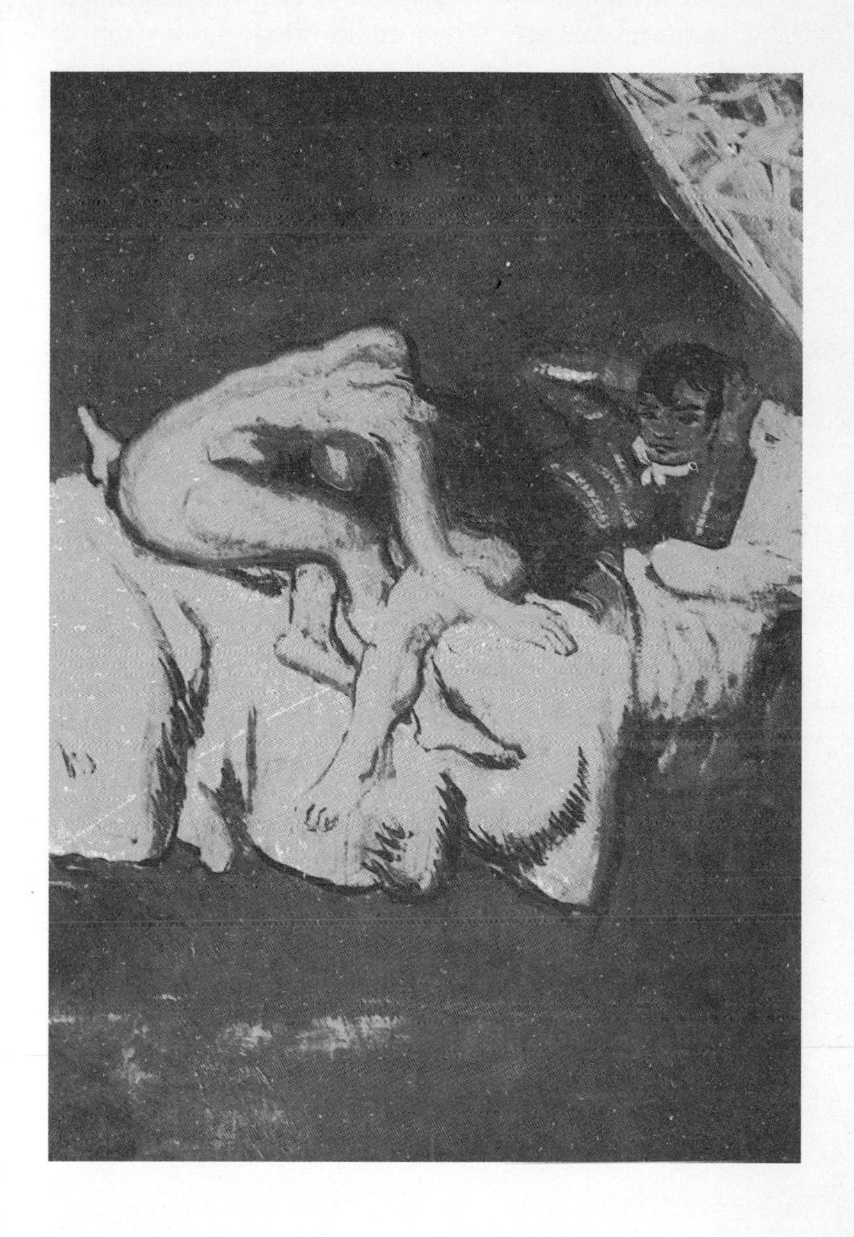

Pablo Picasso, óleo.

las sociedades posindustriales. Las fantasías quedan para la vida marginal. No encuadradas en la rigidez de los horarios laborales, del estrecho cerco familiar, del ocio consumido casi exclusivamente en la televisión, la imaginación y la fantasía se han refugiado en dos formas excluidas de la vida institucionalizada: la prostitución y la sexualidad alternativa (fundamentalmente los *gays* y las lesbianas).

CAPITULO NUEVE

Working-Girls: *a veinte dólares la fantasía*

Un sofisticado artículo de consumo

La prostitución es llamada el oficio más viejo del mundo. Posiblemente es una exageración, pero sin duda existe desde muy antiguo y en la mayoría de las sociedades organizadas, desde la antigua Mesopotamia hasta las modernas ciudades contemporáneas. (Los países comunistas hicieron un gran esfuerzo por erradicarla, ofreciendo a las mujeres, y en algunos casos a los hombres que se prostituían, fuentes de trabajo alternativas. Es digno de hacer notar que la inmensa mayoría de las mujeres aceptaron la propuesta y la prostitución sólo se ejerció de manera esporádica y directamente relacionada con los extranjeros, para obtención de divisas, por ejemplo.) Su antigüedad no es una carta de ciudadanía: tan antiguas —o más— que la prostitución son la violación, el incesto y la poligamia y constituyen delitos en los países más civilizados. Lo cierto es que de marginal y sórdida, la prostitución, en las ciudades posindustriales, ha pasado a ser —muchas veces— un artículo de consumo sofisticado. Encubierta bajo apariencia de saunas, casas de masajes, *relax*, etc., su oferta es múltiple y variada, diversificada, como ocurre con los perfumes o los detergentes. El hecho de que se anuncie en los diarios más importantes, al mismo nivel de los automóviles, las fincas y los profesionales, significa que se dirige a un mercado potencial muy amplio y numeroso.

La prostitución más sofisticada parece uno de los reductos donde se refugian las fantasías eróticas que la vida cotidiana, con sus prisas, sus apremios y su rutina, no siempre permite realizar. Da salida a los deseos reprimidos, a aquellos aspectos de la personalidad que hay que ocultar, por razones sociales o de conveniencia. La película norteamericana *Working-Girls* (mujeres que trabajan), de la directora independiente Lizzie Borden, constituyó un claro documento acerca de esta profesión tan especial. En ella se demuestra cómo cualquier individuo puede comprar su fantasía erótica, por extraña que sea, al módico precio de veinte dólares la sesión. Es un coste mucho menor que fundar una relación sentimental sobre una fantasía erótica; hace menos daños y mantiene estrictamente separados el ámbito de la fantasía sexual y el de la realidad.

El cliente de estos mercados eróticos compra una ilusión, un sueño imposible, en la realidad, y que lo libera de muchas frustraciones. Una de las historias de la película es la del cliente que le pide a la prostituta que finja ser una paciente ciega a quien él, supuesto médico, sanará induciéndola a tocar su miembro. Una vez cumplida la escenificación (y la felación correspondiente), ambos se despiden volviendo a asumir sus personalidades reales: cliente y prostituta. Más allá de la anécdota, el simbolismo de esta fantasía es uno de los más frecuentes: el poder sobreestimado de los órganos sexuales (su versión sublimada es el poder reparador o sanador del amor). Un pene que es capaz de devolver

Henri de Toulouse-Lautrec, ***En el salón de la rue des Moulins,*** **Museo Toulouse-Lautrec, Albi.**

la visión a una ciega de nacimiento sería, sin duda, el pene más valioso del mundo. El cliente ha comprado, por el módico precio de veinte dólares, una fantasía narcisista de superdotado.

Working-Girls, con su fría presentación de las fantasías extravagantes de los clientes, parece insinuar que, en materia sexual, seguimos siendo como niños, con deseos y aspiraciones ridículamente narcisistas. No hay que olvidar, por otra parte, que la directora de la película es una mujer. Casi siempre las mujeres han tenido una actitud de tolerancia maternal y protectora hacia las fantasías masculinas, como si se tratara de ensoñaciones delirantes, de niños malcriados y ególatras. Es, además, la actitud que la directora le atribuye a estas prostitutas de calidad: indiferencia y profesionalidad. Atienden las curiosas y extravagantes demandas de los clientes como los buenos empleados de los grandes almacenes: con una lejana y eficiente profesionalidad, tan distante como superficial.

Los anuncios de los diarios responden al mismo modelo: rasgos burdos y definidos, estímulos fuertes y sin retoques. Los reclamos van desde la especificación de las dimensiones del pene («superdotado, 25 cm») o de otros órganos («1,25 de busto») hasta ofertas claramente provocativas: «Monta mi culito respingón. ¡Qué gozada!» Casi siempre se especifica la «fantasía erótica» de las especialistas: «Francés», «Disciplina inglesa», «Tailandés», o los conocidos dúplex: pareja de mujeres con espectáculo lesbiano para *voyeurs,* amo y esclavo que se exhiben para los clientes, etc.

Se puede decir que las fantasías eróticas empiezan donde termina el coito a la «misionera». (Conviene recordar aquí que la posición «del misionero» —es decir, mujer abajo y hombre arriba— que muchos tienen por la más convencional y habitual, no es universal. La denominación «del misionero» proviene de Polinesia. Las tribus polinesias realizaban el coito con ambos integrantes de la pareja en cuclillas. Cuando arribaron los primeros misioneros, los indígenas se sorprendieron y se rieron de la usanza cristiana, a la que se bautizó, desde entonces, como posición «del misionero».)

Modelos de prostitución

Pero más allá del catálogo de servicios que ofrecen las casas de prostitución, saunas, masajes y hasta el novedoso «teléfono erótico» (de éxito en Francia y Barcelona), la puta constituye un riquísimo mito en la cultura occidental; se trata de un mito muy antiguo, polivalente y de gran ambivalencia. Tanto en la literatura, en el folletín, en el cine como en la música, la figura de la prostituta tiene una dimensión en el imaginario colectivo que no se agota en el simple comercio de prestación sexual contra dinero. Sin intentar analizar exhaustivamente todo su simbolismo, me conformo con anotar algunas de esas representaciones fantasiosas de la prostituta.

a) *La puta-sabia.* ¿De qué sabe la puta sabia? Sabe de sexo. Conoce los deseos de los hombres y los complace. En este sentido, la puta-sabia es la otra cara de la esposa, mujer honesta, discreta, recatada, que ni sabe de sexo ni le importa, cuya frigidez es la garantía de su honestidad. La curiosa relación que han tenido los hombres con su propia sexualidad (motivo de orgullo, por una parte, pero actividad despreciada, por otra), exaltada y clandestina, idealizada y abominada, ha creado esta pareja de dobles antagónicos: la puta y la esposa. Esta, del lado de la legalidad, es decir, del lado de lo social, representa los valores sólidos, culturalmente aceptados: el sentido del deber, la responsabilidad, la maternidad, etc. En cambio, la puta está al margen, en el escabroso margen de lo fronterizo, de lo obsceno, es decir, del goce. Al mismo tiempo, a pesar de esta idealización de la prostitución como la posibilidad del goce sin ley (por clandestino y «vicioso», según la moral tradicional), hay que hacer notar que la profesión más vieja del mundo no tiene derechos. Este asombroso vacío legal imperante en muchos estados pone de manifiesto las contradicciones de los hombres en cuanto a su propia sexualidad. Ni condenada expresamente, ni amparada como cualquier otro servicio, la prostitución es el goce de muchos hombres, y es, al mismo tiempo, su mala conciencia, su culpa.

Fotografía de Carlos de Andrés (COVER).

En muchas sociedades antiguas, la iniciación sexual de los varones, por lo menos, estaba a cargo de los ciudadanos de mayor edad y más prestigiosos (en Grecia, como todo el mundo sabe, el maestro o filósofo que educaba al adolescente lo convertía, además, en su amante. El joven se casaba, posteriormente, para cumplir con el deber social de la reproducción, pero a su vez podía iniciar a otro joven en el arte del amor). En Japón, las *geishas* no sólo satisfacen los deseos de los varones en materia sexual, sino que son estimadas por otras dotes: la música, la danza, el don de la conversación, etc. (Pero en las culturas orientales todo lo que concierne a la sexualidad incorpora numerosísimos ritos, ceremonias y códigos que provocarían un colapso en la acelerada concepción de la vida occidental.)

b) *La puta redimible.* Otro de los mitos caros a la sexualidad masculina en Occidente es la prostituta a quien un hombre bueno redimirá. Ha alimentado la letra de numerosos tangos, múltiples novelas y folletines de consumo, y alguna que otra película. Teniendo en cuenta que la prostituta es una mujer «pública», es decir, que no pertenece a ningún hombre en calidad de propiedad, como ocurre con las otras, las mujeres «privadas» —cuya propiedad está amparada por el contrato matrimonial—, la *redención* de la prostituta consiste en un cambio de estatus social: es elevada de categoría al ser elegida por un solo hombre. (Hay que subrayar que la actividad sexual masculina siempre está ligada a la posesión exclusiva de la mujer, siendo la prostitución el único caso en que varios hombres consienten libremente en hacer uso de una misma mujer.)

c) *La puta malvada.* La prostituta malvada también ha inspirado mucha literatura; quizás, la mejor novela sobre este tema es *Senilidad,* de Vasco Prattolini (fue llevada al cine por Mauro Bolognini, con una exuberante Claudia Cardinale de protagonista). La prostituta malvada, otro mito del erotismo occidental, es la bella y perversa meretriz que se niega a amar a un solo hombre y rechaza sus propuestas de cambiar de vida. Generalmente, destruye a quien la ama sólo con su negativa. Se aprovecha del amor del exaltado varón que la desea sólo para sí, y lo hunde en la impotencia o en el suicidio. Casi siempre queda sin explicar la monomanía de la víctima, salvo que se acepte como explicación la extraordinaria belleza de la prostituta (aunque otras también lo son, pero hete aquí que al personaje de la novela o de la película le ha dado sólo por ésa, y no acepta a ninguna otra) o los efectos trágicos del amor sobre quien lo padece (como nadie sabe decir en qué consiste el amor, alcanza con nombrarlo para que sea aceptado como explicación. Otra hipótesis plausible es que, justamente, el amor consista en esa obsesiva monomanía).

La famosa película de Erik von Stroheim, *El ángel azul,* es un ejemplo acabado del mito de la prostituta malvada. A Marlene Dietrich, su enigmática y fría protagonista, siempre le pareció un poco ridícula la historia del viejo profesor que pierde los sesos, el prestigio y el norte de su vida por la rubia platinada que canta con voz ronca en un cabaret sórdido; pero Marlene Dietrich fue una actriz poco romántica a quien los directores de cine le encomendaron papeles muy románticos (y el romanticismo es la corriente artística que más fantasías ha suministrado a la historia de la humanidad). Ella, con su fría indiferencia, constituía una fantasía erótica de gran aceptación, justamente porque, al ser inaccesible, despertaba oscuros deseos siempre insatisfechos.

Fotograma de *El ángel azul*, protagonizada por la enigmática Marlene Dietrich (Tele-Películas).

Pero no sólo los hombres han desarrollado un amplio imaginario acerca de las prostitutas. A pesar de que las fantasías femeninas son mucho más desconocidas, y pocas veces llegan al arte —el territorio por excelencia del imaginario erótico—, se puede decir con toda propiedad que «la puta» es, en algunos casos, una fantasía también femenina. Muchas mujeres enamoradas han llegado a expresarlo de la siguiente manera al hombre elegido: «Quisiera ser tu puta.» Por supuesto, el imaginario no se refiere a la relación entre sexo y dinero, que es en realidad lo característico de la prostitución, sino a esa suerte de libertad sin barreras morales o sociales que se le atribuye a la relación con las prostitutas. La mujer que revela esta fantasía expresa con ello el deseo de que las relaciones con el hombre que ama estén más cerca de las que tradicionalmente se atribuyen a la clandestinidad y a la perversión de la prostitución que a las relaciones más bien desangeladas que corresponden a la rutinaria vida matrimonial. Posiblemente porque en la imaginación de esas mujeres la santa esposa es una pobre mujer de coitos rápidos y obligatorios, y la prostituta, en cambio, una mujer liberada de prejuicios y de exaltada fantasía erótica, sueña con ser la prostituta del hombre que ama. En este sentido, revela, además, hasta qué punto está contaminada ella misma por la división esquizofrénica entre sexualidad legal e ilegal, entre lo permitido y lo no permitido, entre mujeres buenas y malas.

El hecho de que la inmensa mayoría de las mujeres llegaran al matrimonio con escasa información sexual y en actitud pasiva con relación al hombre ha permitido que este mito, el de la puta-que-lo-sabetodo en materia de sexo, haya encontrado su lugar aun en el imaginario de muchas adolescentes.

En los últimos años, en las sociedades económicamente desarrolladas, la prostitución ha adquirido formas más variadas. Los travestis compiten en su oferta con las tradicionales prostitutas mujeres y anuncian sus servicios en diarios y revistas.

CAPITULO DIEZ

La ambigüedad erótica: ¿quién soy? o el bello hermafrodita

La fascinación por lo equívoco

Cuando el Carnaval de Sitges era todavía un maravilloso espectáculo, aprovechado especialmente por homosexuales y travestis para exhibir galas y disfraces variadísimos, atuendos de diversa significación y para exponer aquello que no se tiene (origen del disfraz), Lucho Poirot, un fotógrafo chileno que entonces vivía en Barcelona, realizó una serie de fotografías que se hicieron famosas. La más hermosa, posiblemente, era la de un bellísimo joven perfectamente dividido en dos, longitudinalmente, de los pies a la cabeza. Un joven demediado: la mitad de la cabeza, con el cabello corto y lacio; la otra mitad, con una larga y ondulada cabellera femenina. El pecho estaba cubierto a medias por un elegantísimo esmoquin y, del otro lado, un amplio escote permitía vislumbrar el busto femenino. Del mismo modo, a partir de la cintura una parte correspondía al pantalón negro del esmoquin y, del otro, a un largo traje de seda. Perfectamente equilibradas, las dos partes constituían una sola figura, bifronte, siendo una de ellas la opuesta a la otra. ¿Hombre o mujer? La fotografía no permitía averiguarlo. La única respuesta posible era: hombre y mujer. No se trataba, sin embargo, de uno de esos raros casos de hermafroditismo morfológico que se conocen desde antiguo gracias a algunas bellas esculturas griegas (como la Venus hermafrodita que se exhibe en el Museo del Louvre), sino de un travestismo parcial.

El hermafroditismo, en su sentido estricto, es algo muy excepcional en la especie humana (aparece también, de manera más escasa aún, en otras especies) y consiste en poseer órganos sexuales de ambos géneros: vagina y pene, por ejemplo (los caracteres secundarios, como senos desarrollados, ausencia de pelos y de nuez de Adán, suelen ser femeninos). Tampoco se debe considerar como hermafroditismo el clítoris muy desarrollado o ciertas secreciones vaginales, durante el orgasmo, cuya exacta composición no es muy bien conocida, todavía. Podrían considerarse como hermafroditas aquellos individuos que, a pesar de poseer vagina y ovarios, tienen un cromosoma añadido: XYY, aunque esta particularidad se conoce con otro nombre.

El travestismo existe desde la más remota Antigüedad y en casi todas las culturas. Es más: fue una norma exigida en ciertas manifestaciones artísticas, como el teatro y la ópera. Las obras de Shakespeare, por ejemplo, debían ser representadas sólo por hombres, que interpretaban los personajes femeninos. Porque en el fondo, travestirse no es más que disfrazarse de lo que no se es, aunque la palabra se refiera, actualmente, casi con exclusividad, a aquellos individuos del sexo masculino que de manera habitual o frecuente se visten de mujer, y expresan su deseo de serlo, hasta llegar, en algunos casos, a cambiar de sexo a través de la cirugía.

En épocas menos preocupadas que la nuestra por

la *identidad sexual* (de difícil definición, por lo demás, tanto en términos ontológicos como psicológicos), disfrazarse era una actividad mucho más común y frecuente que no ponía en tela de juicio la personalidad de nadie, y que no resultaba sospechosa. Pero ahora nos enfrentamos a un fenómeno algo diferente: individuos de sexo masculino que «se sienten» mujeres, que desean ser mujeres y que hacen todo lo posible para lograrlo (el entrecomillado se debe a las numerosas declaraciones realizadas por travestis en medios de comunicación. Por otra parte, renuncio a hacer una distinción de orden psicológico entre «sentir» y «ser», porque posiblemente se trata, en ambos casos, de fantasías: uno cree que siente, cree que es). Pero para nuestro tema, nada mejor, quizás, que el travesti: él es, en cierto sentido, pura fantasía erótica.

En ciertos lugares, perfectamente delimitados, de las grandes ciudades (Barcelona, Nueva York, Roma, París) es posible encontrar, a cualquier hora del día, a cientos de travestis luciendo espectaculares senos desnudos, platinadas cabelleras, blancas piernas con ligueros, el vello púbico al descubierto o teñido, grandes pestañas postizas, un maquillaje abundante y caricaturesco. Generalmente, los senos están siliconados, y el pene rigurosamente vuelto hacia atrás, escondido entre las nalgas. Las prostitutas tradicionales ocupan otras zonas (han llegado a acuerdos en las ciudades más importantes, para evitar la competencia y la confusión de los clientes). Eso es, en esencia, una fantasía erótica: simular, jugar a algo que no es real, para estimular el deseo. Quien no puede comprender el travestismo posiblemente tendrá una vida erótica pobre, aunque multiplique sus orgasmos reales. El juego, la fascinación por lo equívoco, la fantasía y sus ambiguas relaciones con la realidad están presentes en esta puesta en escena simbólica que es el travestismo. Aquello que podría denunciar la falsificación (el pene real) está oculto entre las piernas, como un aparejo inútil. El travesti afirma, de manera delirante, la supremacía de la voluntad y del deseo sobre la anatomía, sobre la fisiología. Dicho de otro modo: el travesti afirma la superioridad del artificio sobre el instinto, de la imaginación sobre la realidad. De ahí que a muchos hombres heterosexuales no les cause ningún trastorno de identidad mantener relaciones con un travesti. Quien ha hecho el gasto de imaginación y de fantasía es el travesti, no él. Quien ha forzado las apariencias hasta el extremo de confundir sus señas sexuales es el travesti, no el heterosexual. El derroche de fantasía y de pulsión lúdica corresponde al travesti, que escenifica un deseo: ser mujer. En cuanto al cliente, puede ser tan imaginativo como un buey y tan lúdico como una marsopa: está atraído por el bulto, por la cantidad, y en la oscuridad todos los gatos son pardos.

Presumir de lo que no se tiene

Dado que verdaderamente no es una mujer, el travesti tiene que exagerar la apariencia de mujer, en una confirmación casi obscena, por lo exagerada, del dicho de que «se presume de lo que no se tiene» (comprobación realizada por el psicoanálisis). El travesti actúa hasta el paroxismo la apariencia de lo que no es; se propone como objeto de deseo justamente desde lo que no es (acentuando al carácter ilusorio y fantasmal del deseo). El travesti no es homosexual: no propone el deseo desde la similitud, desde al amor a la semejanza, sino desde una hipertrofiada diferencia con el macho. Exagera hasta tal punto la caricatura de los

Fotografía de Juantxu Rodríguez (COVER).

roles tradicionales (activo-pasivo, masculino-femenino) que difícilmente es un objeto de identificación para otra mujer. Las relaciones entre los travestis y las lesbianas suelen ser hostiles. Estas rechazan una caricatura que les parece burda de su objeto de deseo, la mujer, y los travestis aspiran, en vano, a ser considerados como mujeres —es decir, como iguales— por las lesbianas. En la historia erótica de la ciudad de Madrid de los años setenta-ochenta, no contada por nadie todavía, se recuerda la siguiente anécdota: en un bar de ambiente de la ciudad, con homosexuales de ambos sexos, coincidieron en el baño para mujeres un travesti y una lesbiana. Como el primero de los personajes empleaba demasiado tiempo en maquillarse, sin abandonar la pequeña sala, la mujer la increpó. El travesti se volvió y le dijo: «¿Estoy bien? ¿Te gusto?» La mujer, fastidiada, le contestó: «No. A mí me gustan las mujeres.»

Este pequeño diálogo está lleno de sordas intenciones psicológicas. Las lesbianas consideran a los travestis unos groseros falsificadores, mientras los travestis no parecen nunca alcanzar el estatuto soñado: el de mujer. Un juego delirante de espejos, de fantasías, contra la afirmación a veces neurótica de una identidad excluyente.

Pero sin llegar al travestismo exagerado y a veces ridículo de los profesionales, la vida erótica plena necesita del disfraz, del estímulo del cambio de las señas de identidad exteriores para desarrollar los fantasmas de la imaginación. En *El amante,* una obra teatral de Priesley que tuvo singular éxito en todos los escenarios del mundo, la esposa aburrida de su vida doméstica recibe diariamente la visita de un amante para quien se acicala, maquilla, y que le proporciona los únicos momentos de felicidad. El amante clandestino revela, finalmente, su verdadera identidad: es el marido. Variando los personajes, abandonando, como un vestido viejo, la rígida personalidad cotidiana, la pareja fiel puede recrear muchos otros personajes de su imaginación.

Casi todos los humanos padecemos la limitación de ser sólo uno de los posibles; esta frustración se combate permitiendo a la imaginación representar, lúdicamente, otra galería de criaturas.

Ciertas parejas jugaron en el límite de la identidad sexual con el travestismo: el dulce y delicado Chopin amó con pasión a una George Sand casi siempre vestida de pantalones, botas y sombrero de copa.

Los actores y las actrices, que tienen un juego mucho más lúdico con la identidad que el resto de los mortales, han desarrollado la aptitud de travestirse de manera muy seductora. Marlene Dietrich apareció en una famosa fiesta de Hollywood, en 1945, vestida de esmoquin, acompañando a Dolores del Río. Y Greta Garbo, que simbolizó por mucho tiempo el eterno femenino, vestida de varón era igualmente atractiva.

Un hombre que admita vivir sus partes femeninas y gozar de ellas estimulará a su amante a que viva sus partes masculinas, rompiendo con la rigidez y la monotonía de los roles fijos. Pero aun en el terreno de la más estricta identidad monosexual, el erotismo ama los cambios de escenarios, la introducción de novedades, la escenificación de fantasías ocultas.

CAPITULO ONCE

Los sentidos en la vida erótica: ver, oler, tocar, gustar

Hay gente que construye toda su vida erótica alrededor de un perfume, un color o una forma. Se trata de los aspectos irracionales o inconscientes del deseo, pero dirigen nuestras elecciones de una manera firme y a veces incontrolable. No están muy errados. En el mundo animal, del cual formamos parte, a pesar de nuestra diferenciación psicológica, olores, secreciones y manifestaciones de la piel, o del plumaje, tienen la capacidad de atraer a los individuos, despertando el instinto sexual. Entre los seres humanos, el amor es tanto una apasionada relación con la mente del otro como con el cuerpo. Sobrestimar cualquiera de los dos aspectos es casi inevitable, como resulta peligroso ignorar uno de los dos. Contra el predominio de los aspectos emocionales en la relación amorosa, escribió Albert Cohen, en *Bella del Señor:* «Así que os pregunto qué importancia se puede conceder a un sentimiento que depende de media docena de huesecillos los más largos de los cuales miden apenas dos centímetros. ¿Cómo, estoy blasfemando? ¿Julieta habría amado a Romeo si Romeo careciera de cuatro incisivos, con un gran agujero en el medio? ¡No! ¡Y, sin embargo, habría tenido exactamente la misma alma, las mismas cualidades morales! En tal caso ¡por qué insisten ellas en que lo que importa es el alma, y las cualidades morales!»

Posiblemente, en el párrafo anterior, Albert Cohen subraya una importante diferencia entre el amor de las mujeres y de los hombres. Casi siempre las mujeres sobrestiman los elementos no físicos del amor (las cualidades de carácter, de personalidad del ser amado), mientras los hombres suelen sentirse más atraídos por los encantos corporales. Dicho de otro modo, las mujeres deben ser bellas para ser amadas, y los hombres deben ser inteligentes.

Jean-Didier Vincent, profesor de neurofisiología, llamado «el poeta del microscopio», dice en su libro *Biología de las pasiones:* «El amor es un intercambio de informaciones entre dos cuerpos.» Pero no debemos olvidar que el cuerpo es el asiento del yo, de manera que además de sus atributos físicos manifiesta las cualidades intangibles de la personalidad. Continúa diciendo Jean-Didier Vincent: «Esas informaciones llegan al olfato, al oído y a la vista. Para esta última, haremos mención especial del rostro del amado, verdadera rúbrica del otro en el espacio amoroso *.»

La mirada

La importancia de la vista en la actividad sexual humana se conoce desde muy antiguo y es un hecho tan incuestionable que ha dado origen no sólo a buena parte de las artes plásticas, sino a dos industrias modernas de gran desarrollo: la publicidad y la pornografía.

---

* Editorial Anagrama, Barcelona, 1987.

El Informe Kinsey de sexualidad insiste sobre la disparidad entre el hombre y la mujer en lo que se refiere a la función de los estímulos visuales en el despertar del deseo. Señala que las representaciones del cuerpo de la mujer son mucho más frecuentes que las del hombre, y que la pornografía se dirige sobre todo a ellos; sólo emplea cuerpos masculinos en exhibición cuando su público son otros hombres. El antropólogo y sexólogo norteamericano W. H. Davenport dice que si bien la exhibición de partes del cuerpo femenino como manera de despertar el deseo es muy corriente, en las sociedades primitivas los genitales de las mujeres se ocultan más que los del hombre, seguramente para reservar el privilegio de su visión al varón elegido.

Dado que la función tradicional que correspondía a la mujer en el juego amoroso era la de *seducir* y debía hacerlo con su cuerpo, el arte de exhibir y ocultar al mismo tiempo fue una habilidad femenina por excelencia. El *strip-tease*, en cualquiera de sus formas, desde la danza de los siete velos o la danza del vientre hasta las modernas funciones en público (o aquellas más estrictamente privadas), ha sido un espectáculo protagonizado por la mujer para consumo libidinal del hombre.

La literatura (escrita fundamentalmente por hombres a lo largo de la Historia) refleja de manera abundante y casi inagotable la fuerza que tiene para el despertar erótico del hombre el sentido de la visión. El joven Dante ve una sola vez a la adolescente Beatriz, cuando ésta se dirige con su madre rumbo a la iglesia, y esta visión extasiada provoca el incendio amoroso narrado en uno de los textos más sutiles de la literatura occidental: *La vida nueva.*

No hay duda de que para la mayoría de los hombres la visión es el sentido más importante como disparador del deseo. Lo mismo hace el comprador ante el objeto que se le ofrece, y los niños, que suelen desear aquello que *ven*. Posiblemente, si la vista es el estímulo que dispara el deseo viril, también es el que conjuntamente pone en movimiento su codicia y su afán de posesión. El hombre ve el cuerpo de la mujer y lo convierte en el objeto de su deseo. Es un mecanismo muy primitivo, ligado a la codicia y a la posesión, que fueron las instancias más arcaicas de la relación hombre-mujer, cuando ésta formaba parte de las riquezas y pertenencias de los hombres. (Sigue teniendo este sentido en algunos países árabes, que consideran a la mujer un objeto.)

Si en la mujer la visión tiene mucho menos importancia que en el hombre, se debe a que difícilmente para ella el hombre es un objeto; posiblemente lo que desea una mujer de un hombre no está relacionado con su pilosidad, el color de sus ojos, el tamaño de su verga o las formas de sus piernas. Se suele decir que el deseo de la mujer no tiene nombre, es difícil de atrapar por el lenguaje. Quizás porque no reside sólo en lo visible, en lo exterior, en lo que se puede tocar, ver o poseer. De ahí, también, que el lenguaje del deseo masculino y femenino sea completamente diferente. Las expresiones verbales del deseo masculino parecen ir y venir de la mirada al cuerpo femenino, mientras que el deseo femenino no encuentra su sitio en un lugar determinado del cuerpo masculino. Los sexólogos reconocen que mientras el cuerpo femenino está todo erotizado, en cambio el masculino erotiza sólo su sexo.

El arte, que ha sido una actividad predominantemente masculina, está llena de ejemplos para ilustrar este fenómeno. Los desnudos de mujeres, desde Grecia a nuestros días, muestran este predominio. Las numerosas Venus, Afroditas, Dianas y amazonas contrastan con la escasez de desnudos masculinos. La historia de la pintura también se caracteriza por la hegemonía del cuerpo femenino, para ser mirado, para ser admirado y para ser deseado. No hay un equivalente masculino a *La maja desnuda,* de Goya, ni a esas bellas y sensuales mujeres desnudas, a punto de entrar o salir del agua, pintadas por Jean Renoir.

La curiosidad por *ver* el cuerpo femenino se manifiesta ya en la infancia de los varones, a edad temprana, quizás como una forma primeriza del deseo sexual. *Espiar* a las mujeres, desde la clandestinidad o desde el anonimato, es una actividad que no falta en la infancia o en la adolescencia de casi ninguno. Por eso mismo, el *voyeurismo* es una perversión casi exclusivamente masculina. La literatura y el cine han presentado muchas veces y con extrema agudeza la psicopatología del *voyeur.* Este convierte la mirada en una actividad secreta, obsesiva, placentera, como si el fin de la actividad sexual se hubiera trasladado del coito a la mirada. La película polaca de reciente exhibición, *No amarás,* es un magnífico ejemplo del fenómeno que acabamos de describir. Un joven virgen y solitario dedica todo su tiempo libre a espiar por la ventana de su cuarto, a través de un telescopio, a su vecina, una bella mujer que recibe en su casa a sus amantes, sin saber que es permanentemente observada.

Entretenimiento autista, solitario y masturbatorio, el *voyeurismo* suspende la acción y permite la contemplación pasiva del otro, que generalmente lo ignora, sintiéndose superior en la medida en que *mira* sin ser mirado. No hay que olvidar que Dios es representado como el ojo que todo lo ve, ante el cual siempre estamos desnudos y que ejerce su poder a distancia. Para el mirón, el otro (el mirado) es un objeto a quien le ha robado subrepticiamente su imagen. El mirón prefiere robar la mirada, es decir ver sin ser visto, porque cree inconscientemente que hay más placer en transgredir, en robar, que en recibir en un plano de igualdad. Ver sin permiso puede ser, para algunos, un placer más intenso que ver lo permitido.

El erotismo y la pornografía visuales eligen con preferencia el cuerpo femenino, convencidos de que la mirada es el estímulo sensorial más fuerte para los hombres. Las revistas pornográficas *gays* sólo se diferencian en que su objeto de deseo son cuerpos masculinos, pero responden a la misma certeza.

El strip-tease

Los orígenes del vestido son muy remotos en todas las culturas y los antropólogos están de acuerdo en que representa el triunfo de la cultura y la civilización sobre el instinto. El vestido no cumple una única función, sino múltiples y ambiguas: protege, oculta y exhibe. En el Génesis, una vez que Adán y Eva desobedecen la única prohibición, descubren que están desnudos. Estar desnudo significa estar *desprovisto de.* Contemplar al ser amado en plena desnudez ha sido el privilegio que se le concede al otro, en virtud de su amor. Pero si las ropas tapan, creando con ello el misterio, lo ignoto, lo desconocido, quiere decir que su función también es estimular la imaginación, la fantasía. Un cuerpo desnudo es un cuerpo sin secreto, es decir, *develado.* A eso es posible atribuir cierta sensación de desamparo, de fragilidad, que experimentamos cuando estamos sin ropas.

Saber desvestirse, provocar y aumentar el deseo de quien nos mira mientras nos quitamos las ropas constituye un arte tradicionalmente femenino. La mayoría de nuestras abuelas sólo se desnudaban, y a veces parcialmente, para sus maridos. En la India y en algunos países árabes, ni siquiera el médico puede examinar a una paciente completamente desnuda. El ropaje representa nuestra culturalización. De ahí que una de las torturas que suelen imponerse a los presos políticos en los regímenes totalitarios es desnudarlos, mientras sus torturadores conservan la ropa. Los nazis imponían como primera vejación a los judíos permanecer sin ropas, mientras ellos vestían sus uniformes. Justamente porque habían aquilatado el sentimiento de humillación que siente el individuo obligado a estar desnudo mientras los demás están vestidos.

Todos aquellos símbolos exteriores de nuestra identidad (adornos, colores, telas, encajes, corbatas, etc.) sucumben a la humillación, si somos despojados de ellos de manera involuntaria. Porque las ropas que nos cubren son un lenguaje a través del cual informamos a los demás acerca de nosotros mismos; los vestidos, en el ser humano, tienen la función de cubrir la animalidad (el cuerpo), de *representar* los valores culturales en los que creemos (baste el ejemplo de la moda unisex de los años setenta o el frenesí por las marcas de los adolescentes contemporáneos). Desnudarse sólo para alguien es una oferta, es un despojamiento voluntario; por el contrario, es un vejamen, una humillación, cuando nos obligan a hacerlo por alguna clase de autoridad o despotismo. Algunas de las fotografías de mujeres judías desnudas, en hilera, en los cuarteles de la Gestapo son patéticas y antiafrodisíacas: al obligarlas a desnudarse frente a sus guardias, se las priva de su individualidad; convertidas en una masa anónima de carne, miembros y cabelleras, nadie puede saber quiénes eran, qué hacían, cómo vivían. Justamente, en el momento de ser obligadas a desnudarse, parecen mujeres castradas. Porque el desnudo es anónimo: un cuerpo desnudo está reducido a su organicidad, es sólo materia. De ahí, por ejemplo, la falta de erotismo de los campos nudistas. El deseo busca lo particular, lo único, lo exclusivo, y se diluye o sucumbe ante lo anónimo, lo amorfo, lo general. El deseo anhela contemplar un cuerpo desnudo, a lo sumo dos o tres, pero nunca quiere ver a todos los cuerpos desnudos, a la humanidad en pelotas. Por eso, quien permanece vestido mientras el otro está desnudo, es quien ostenta el poder.

Son las mujeres, objetos frecuentes de humillación (y no se puede ignorar el fuerte placer sádico que proporciona el humillar a alguien), las que aparecen más a menudo desnudas, frente a hombres vestidos. El consumidor de pornografía, por ejemplo, suele estar vestido, en su cuarto o en el salón, contemplando la película porno o mirando las fotos de una revista, donde aparecen senos abundantes, sexos abiertos como granadas. Su placer consiste, precisamente, en ser el observador de la animalidad ajena, mientras él permanece cubierto con sus señas culturales. Un ejemplo completamente revelador de esta relación de poder lo encontramos en el conocido cuadro de Watteau: *Le portrait de Antoin de la Roque*. Es una idílica escena en el prado; un picnic campestre. Lo inquietante, sádico y gozoso de la representación es que el único hombre del cuadro, completamente vestido, aparece rodeado de mujeres desnudas. Quien contempla la escena comprende, de manera inconsciente, que se trata de un joven que dispone, para su entretenimiento, del espectáculo de varias mujeres desnudas, mientras él guarda su secreto, es decir, su animalidad *.

* *Desayuno en la hierba,* de Manet, es una variación del cuadro de Watteau.

«¡Desnúdate!» es una orden que muchas mujeres han recibido de un amo que, para demostrar su poder, permanecerá vestido. (En algunas relaciones sexuales de implícito contenido sádico, el hombre no se desviste para hacer el amor, mientras exige que la mujer lo haga.) La contrapartida ocurre muy pocas veces y, en general, sólo en los burdeles para hombres esclavos o pasivos.

Sin duda, este elemento de poder está presente en el espectáculo público del *strip-tease*, aunque no es el único. Los espectadores (hombres y mujeres), solos o acompañados, pagan para asistir a una revelación: la del cuerpo desnudo de la actriz. Hay que hacer notar que lo excitante es el camino, el tránsito de la ropa a la desnudez (que a veces ni siquiera es completa, como ocurre en un conocido programa español de televisión). Si la actriz apareciera espontáneamente desnuda en el escenario, la excitación posiblemente sería menor. Porque lo que queremos ver no es tanto el final del espectáculo (por lo demás las protagonistas, cuando han develado su cuerpo, con gran sabiduría desaparecen casi enseguida) como el acto de desvertirse de manera provocadora. En el esquema simbólico vestido = cultura, los espectadores no sufrirán ninguna transformación: conservarán sus corbatas, sus pendientes y su identidad. En cambio, la protagonista asumirá con desfachatez su lento despojamiento: de criatura cultural (es decir, vestida) a su animalidad anónima. Contemplar un *strip-tease* es presenciar, con cierta delectación perversa, cómo alguien (nuestro *alter-ego* o, por el contrario, nuestro esclavo) pierde su condición humana y asume al animal de fondo (puesto que los animales siempre están desnudos, nada los viste).

No se nos puede escapar que en el acto de desnudarse ante el otro hay un elemento de entrega (te entrego mi desnudez, es decir, me ofrezco tal como fui parida, reniego de mis adornos, de mis ornamentos culturales) que puede excitar el instinto sádico de poder: quien está desnudo se siente indefenso. Al respecto, hay que recordar los relatos de algunos perseguidos, quienes no se desnudaban para dormir por temor a que sus perseguidores los descubrieran en ese momento: la desnudez hubiera acentuado el sentimiento de indefensión. Evidentemente, desnudos somos o nos creemos criaturas más vulnerables. Se acabó el coqueteo cultural: la carne no sólo es débil; además, es frágil.

La mirada es, posiblemente, el instinto más poderoso que tenemos; nuestro conocimiento del mundo exterior depende en gran medida de él. Pero, además, la mirada es siempre particular, subjetiva, autista. Vemos lo que queremos ver; dicho de otro modo: aquello que vemos es lo que tenemos dentro. El mejor ejemplo de esta característica de la mirada es Don Quijote. El ingenioso hidalgo ve gigantes donde hay molinos de viento: superpone su mirada interior a los datos objetivos. La mirada es tan subjetiva, tan pegada a quien ve, que es posible asistir a una discusión acerca de si una corbata es verde o gris: uno ve su verde, otro ve su gris. Por eso, la percepción de la belleza o de la fealdad es tan intensamente personal.

Pero en el *strip-tease* hay otro elemento importante: pagamos para contemplar cómo otro, no nosotros, transgrede la norma. Ya sabemos que el pacto social que nos permite la convivencia a millones de personas en un espacio se basa en el cumplimiento de las normas explícitas (llamadas leyes) e implícitas (moral, buenas costumbres, decoro), etc. Dicho de otro modo: para convivir debemos controlar nuestros instintos, nuestros deseos e impulsos, y adecuarlos a ciertas normas que también los otros deben cumplir. El secreto transgresor que todos llevamos dentro suele pagar para contemplar un placer al que él ha renunciado: el placer de cargarse la norma. Es una forma simbólica de cargarnos la ley. Así, la norma indica que somos animales vestidos, que nos desnudamos sólo para hacer el amor con la persona elegida. Pues bien: el *strip-tease* rompe con esa norma; su protagonista no sólo se desnuda en público (y no en privado, exclusivamente, como hacemos nosotros), sino que además lo hace para excitarnos. ¿Excitarnos con qué? En parte, con su transgresión a la norma. Aquello que no hacemos por respeto a las convenciones, lo vemos hacer por alguien que osa transgredir la ordenanza. Y aquello que no nos animamos a exigirle o pedirle al otro, nos lo ofrecen por una módica suma de dinero. Es decir: realizamos nuestro deseo por interpósita persona*.

El tacto

Luego de la visión, el sentido más importante de la vida erótica es, sin duda, el tacto. Los amantes se tocan, se palpan, se reconocen con los dedos de la

---

* El japonés que mató en París a una compañera de estudios danesa, la troceó, la guardó en la nevera y luego se la comió, da numerosas conferencias en la actualidad, en Japón, sobre su autobiografía. Miles y miles de japoneses legales, que jamás cometerían un delito, asisten embobados a escucharlo. Quien no trasgrede la ley, quien acepta las convenciones, siente una enorme curiosidad por el delincuente, por el transgresor. Esto explica, también, la enorme tirada de las revistas y diarios sensacionalistas, dedicados exclusivamente al sexo y a la violencia. Una parte de aquel que acata la ley asiste, excitado, a la contemplación de quien se animó a cargársela. Por eso, sabiamente, en las ficciones siempre se castiga al transgresor: para que el espectador solidarizado momentáneamente con el violento no quede impune y se refuerce la norma.

mano como si éstos fueran diez ojos suplementarios. Explorar con el tacto el cuerpo deseado, superponer las epidermis, las mucosas, mezclar una piel con otra es una ceremonia de compenetración, de consustanciación que, igual que los ritos antiguos, manifiesta el deseo de unir lo separado, de juntar lo diferente. Tocar es penetrar en la intimidad del otro, sortear las murallas del yo, acceder al espacio último de la individualidad, allí donde normalmente estamos solos. Tocar aquello que deseamos es la única forma de superar la angustia de estar separados, de integrar lo que está afuera. «¡Te comería a besos!» es la expresión de un deseo caníbal prohibido por la ley, pero que representa muy bien el ansia de unión de los amantes.

Tocar es sentir: la sabia naturaleza dotó a las epidermis de terminales nerviosas que comunican sus estremecimientos a los diferentes órganos, de modo que el placer superficial se expande hacia el interior (es conocido el temblor involuntario de los miembros, luego del coito, a pesar de que en ese momento los amantes no se toquen).

Pero no se trata sólo de la carne (*¡Carne, celeste carne de la mujer. / Néctar, ambrosía,* exclamó Rubén Darío), sino de otras texturas, también. Sedas, terciopelos, rasos: el deseo desborda los límites del cuerpo y se prolonga hacia otras superficies. La lencería, desde hace dos o tres años, ha cobrado una importancia perdida a la hora de estimular el deseo erótico. Aquellas prendas u objetos que han estado en contacto con el cuerpo deseado se convierten en prolongaciones, en apéndices que tocamos con fervor. El tacto está estrechamente ligado a la posesión. Es frecuente observar cómo el bebé que empieza a realizar su aprendizaje del mundo exterior anhela tocar, para sentirse dueño de los objetos y someterlos a su voluntad. Excitar un tramo de piel hasta conseguir que los órganos vibren constituye uno de los placeres que los amantes aprecian más, porque les permite creer que son dueños de aquello que está afuera. La piel tiene su propio código: trasmite señales. Su temperatura, sus estremecimientos, su manera de recibir o de refractar la luz constituyen señales de su favor o de su rechazo.

Brindarse a la posesión es un ofrecimiento que puede extasiar a quien se destina. Hay un poema de Juana de Ibarbourou que lo expresa con cabal sinceridad:

LA HORA

Tómame ahora que aún es temprano
y que llevo dalias nuevas en la mano.

Tómame ahora que aún es sombría
esta taciturna cabellera mía.

Ahora que tengo la carne olorosa
y los ojos limpios y la piel de rosa.

Ahora que calza mi planta ligera
la sandalia viva de la primavera.

Ahora que en mis labios repica la risa
como una campana sacudida aprisa.

Después... ¡ah, yo sé
que ya nada de eso más tarde tendré!

Que entonces inútil será tu deseo,
como ofrenda puesta sobre un mausoleo.

¡Tómame ahora que aún es temprano
y que tengo rica de nardos la mano!

Hoy, y no más tarde. Antes que anochezca
y se vuelva mustia la corola fresca.

Hoy, y no mañana. ¡Oh, amante!, ¿no ves
que la enredadera crecerá ciprés?

El olfato

El olfato es el sentido más estrechamente ligado al despertar del instinto sexual entre los animales. La atracción ejercida por una hembra sobre un macho está unida a la presencia de sustancias odoríferas en su orina, en sus secreciones vaginales y prepuciales. La destrucción de los bulbos olfatorios elimina en las ratas y en los hamsters, por ejemplo, el comportamiento sexual. Además, el olor es la señal del celo que advierte al macho que puede cubrir a la hembra. Entre los humanos, el olor no desempeña un papel tan importante, entre otras cosas porque nuestras papilas olfativas han perdido su sensibilidad, gracias a los «progresos» de la civilización.

Los biólogos suelen definir el amor como una serie de reacciones químicas; el orgasmo, para ellos, es una especie de ataque de epilepsia provocado por la estimulación de los centros nerviosos. Si un biólogo tiene que explicar la atracción sexual entre dos personas, recurrirá seguramente a enumerar una serie de sensaciones olfativas, casi imperceptibles, que atraerían a dos cuerpos entre sí con independencia de la razón. Pero no se trata simplemente del olor de la piel, de las axilas o del sexo: hay una cantidad de sustancias internas, secretadas por las glándulas, que determinan el perfume característico de cada persona, inconfundible, pero que lamentablemente los vicios de un exceso de civilización trastornan, al superponer los aromas químicos. Una mujer puede oler espontáneamente a ola marina, pero lo más probable es que huela a Loewe o a Paco Rabanne. Y como no será la única que huela de esta manera, su seña de identidad odorífera será intercambiable con la de otra.

El agrado o el disgusto por ciertos olores es de naturaleza muy subjetiva, aunque algunos ascos son inducidos (los padres educan a sus hijos para que experimenten repulsión frente al olor de las heces o de la carne en descomposición, por ejemplo). En general, la civilización nos conduce a preferir los olores «suaves» sobre los fuertes, en ese gran proceso de domesticación de los instintos.

Los poetas han comparado el olor del sexo de las mujeres con los elementos marinos: conchas, ostras, olas, etc. Vulgarmente, se dice que las mujeres huelen a pescado. Hay muchas mujeres que se atemorizan de esta asociación y procuran disminuir el olor de sus secreciones con lociones y perfumes. Pero para un buen amante, el olor del cuerpo que ama es un aviso, un llamado, una fuente de estímulos y de excitación.

Pero no sólo huelen las mujeres. El olor del semen suele ser más acre, a almendra seca o madera de sándalo.

Del mismo modo que el olor de las comidas que se están guisando produce secreción salival y aviva el apetito, los olores del cuerpo estimulan el deseo. El amante sensual conserva largo tiempo en sus dedos el olor de la vagina de su compañera, como ésta aspira en su piel el residuo odorífero de su amante.

El hecho de que muchos perfumes industrializados tengan por nombre palabras que simbolizan en nuestra imaginación motivos eróticos es una asociación deliberada de los fabricantes, que saben que el perfume es un estímulo sexual. Andros, Aspid, París, Clandestine, Magie Noire, Tentación, etc., evocan aspectos de la instancia erótica.

El sonido de tu amor

El deseo tiene sonido, no es mudo. La turbación, la emoción, el ansia fluyen por la boca, modificando nuestra voz y expresando aquello que bulle. Los amantes jadean, resoplan, emiten sonidos guturales, onomatopéyicos, que incitan al deseo y lo estimulan. Los gemidos, las exclamaciones y los gritos nos devuelven a la etapa anterior al lenguaje articulado, y tienen mucha más fuerza, en general, que las palabras. Un buen amante arrancará los sonidos más extraños, esos que no están codificados, la melodía de los órganos sensibilizados por el roce y las caricias.

El sabor

Los cuerpos saben, en el doble sentido del término. Hay pieles ácidas y pieles dulces; hay pieles amargas y pieles frutáceas; las lágrimas saben más o menos a sal, y las bocas tienen diferentes sabores. Los amantes no sólo se miran, se huelen, se tocan y olfatean: también se paladean. Sorber, chupar, lamer son actividades fruitivas, las más antiguas, las que realizamos recién nacidos y ahora recuperamos, en un goce consciente. Hay amantes a quienes les gusta embadurnar el cuerpo amado con zumos, cremas, frutos y lamerlos o comerlos en una especie de festín afrodisíaco. En cierto sentido, se cumple una fantasía de canibalismo que hemos relegado al más oscuro inconsciente. En otro sentido, la fusión de sabores, la mezcla de colores incita al deseo a quien le complacen las combinaciones revueltas. Son los poetas y los artistas quienes han revelado estas analogías entre el cuerpo y los frutos de la naturaleza: el sexo como un higo, o el vello superficial de la epidermis como la piel de melocotón, las secreciones del clítoris como gotas de miel, la vulva salada como una ostra. El predominio de imágenes referidas al cuerpo de la mujer responde a esa erotización general femenina de la que hemos hablado.

La vida erótica es confusión de los sentidos, magma primigenio donde las formas se mezclan, se penetran, se licúan, como en la lava original, luego del estallido del bing-bang. Porque sólo en el caos (que no es destrucción, sino yuxtaposición) se puede producir esa fantasía de todo amor intenso: tu cuerpo es mi cuerpo, tu aliento es el mío, tu carne es mi carne, tu muerte es mi muerte. El deseo más profundo es el deseo de transustanciación: yo soy tú, tú eres yo, forzadas las fronteras solitarias de la individualidad.

No es de extrañar que sean los escritores, y especialmente los poetas, quienes hayan intentado expresar ese deseo, porque el erotismo es a la genitalidad lo que la poesía al habla común: fantasía, imaginación, transferencia. La poesía siempre es erótica, aun cuando hable de temas bien alejados de los cuerpos, porque su instrumento es la imagen hecha palabra. Pero aun así, hay poemas que han logrado mejor que cualquier ensayo plasmar la ceremonia erótica de los amantes. Me gustaría culminar este libro con uno de los mejores; se trata del poema «Se miran, se presienten, se desean», del poeta argentino Oliverio Girondo.

SE MIRAN, SE PRESIENTEN, SE DESEAN

Se miran, se presienten, se desean,
se acarician, se besan, se desnudan,
se respiran, se acuestan, se olfatean,
se penetran, se chupan, se desnudan,
se adormecen, despiertan, se iluminan,
se codician, se palpan, se fascinan,
se mastican, se gustan, se babean,
se confunden, se acoplan, se disgregan,
se distienden, se enarcan, se menean,
se retuercen, se estiran, se caldean,
se estrangulan, se aprietan, se estremecen,
se tantean, se juntan, desfallecen,
se repelen, se enervan, se apetecen,
se acometen, se enlazan, se entrechocan,
se agazapan, se apresan, se dislocan,
se perforan, se incrustan, se acribillan,
se remachan, se injertan, se atornillan,
se desmayan, reviven, resplandecen,
se contemplan, se inflaman, se enloquecen,
se derriten, se sueldan, se calcinan,
se desgarran, se muerden, asesinan,
resucitan, se buscan, se refriegan,
se rehúyen, se evaden y se entregan.